ALEXANDER VON SCHÖNBURG

Die Kunst des stilvollen Verarmens

Wie man ohne Geld reich wird

ROWOHLT · BERLIN

1. Auflage März 2005
Copyright © 2005 by Rowohlt · Berlin
Verlag GmbH, Berlin
Redaktion Bernd Klöckener
Satz aus der Berling PostScript QuarkXPress 4.1
bei KCS GmbH, Buchholz i. d. Nordheide
Druck und Bindung Clausen & Bosse, Leck
Printed in Germany
ISBN 3 87134 520 2

Inhalt

Teil I

«Es ist besser, man gewöhnt sich im Leben
an den Verlust. Man erspart sich viel Trau-
rigkeit.»

HELMUT BERGER

Die Ausgangslage

Über die Notwendigkeit des Sparens

Damals, als die Wirtschaft noch boomte, saß ich in einem
schönen Büro, hatte Visitenkarten in der Tasche, die mich
als Angestellten eines der angesehensten Medienunterneh-
men des Landes auswiesen, und dank unseres Arbeits-
rechts die Aussicht, nach Ablauf einer Frist mit meinem
Arbeitsplatz verheiratet zu sein. Irgendwo zu Hause im
Bücherregal befand sich, säuberlich abgeheftet, ein Ar-
beitsvertrag, der eine regelmäßige Gehaltserhöhung vorsah. Jedes Jahr rund tausend D-Mark mehr. Ich wäre also –
langsam, aber sicher – reich geworden. Auch sämtliche
Zukunftssorgen, die ich zu diesem Zeitpunkt allerdings
noch gar nicht kannte, hatte mir mein Arbeitgeber abge-
nommen. Denn fast ebenso hoch wie mein Gehalt waren
die Beiträge, die er in meine Renten-, Kranken-, Arbeitslo-
sen- und Pflegeversicherung einzahlte.

Es kam anders, und das lag an einer Notbremse. Die
hatte mein Arbeitgeber gezogen, nachdem Osama Bin Laden in New York den Lauf der Geschichte verändert hatte
und das Unternehmen, bei dem ich angestellt war, plötzlich einsah, dass die immensen Investitionen in neues *hu-
man capital* in der rückblickend etwas naiven, damals jedoch verbreiteten Hoffnung getätigt worden waren, das

9

goldene Zeitalter der späten neunziger Jahre werde ewig währen. Durch das ruckartige Bremsen wurden all jene von Bord geschleudert, die man innerhalb der vergangenen zwei Jahre angeheuert hatte.

Als wir eingestellt wurden, war die Zeitung, für die wir arbeiteten, so randvoll mit Anzeigen, dass der Bote sie am Wochenende nicht mehr in den Briefkastenschlitz stecken konnte. Die Leser, die sich nicht für den Stellenmarkt interessierten, mussten beim Griff zur Samstagsausgabe zunächst einen Anzeigenteil entsorgen, für den übers Jahr gesehen sicher ein mittelgroßer Mischwald gerodet und für dessen Transport die fossile Energie verfeuert wurde, die sich in mehreren Millionen Jahren angesammelt hatte. Die Verlage waren naturgemäß davon überzeugt, dass es genauso weitergehen würde. Jeder hatte Angst, den Anschluss zu verpassen. Vom Konzernchef bis hinunter zum Rentner, der sein Sparbuch plünderte, um an der Börse mitzumischen, kannten alle nur noch die Furcht, der Boom könnte ohne sie stattfinden. Die Firmen stürzten sich in Investitionen, die Bürger in Konsum und kauften «Volksaktien».

Das alles endete natürlich mit einem fürchterlichen Hang-over, und dass die in der Medienbranche Beschäftigten die Veränderung am schnellsten zu spüren bekommen würden, verstand sich von selbst. Das Erste, was Unternehmen einsparen, wenn die Umsätze schrumpfen, sind Anzeigen. Mit Kürzungen des Werbebudgets lassen sich ohne soziale Härte, ohne großen verwaltungstechnischen Aufwand und vor allem umgehend Millionen einsparen. Wir, die man für die innovative Beilage einer konservativen Zeitung geholt hatte, waren logischerweise die ersten Opfer des Kettensägenmassakers auf dem Arbeitsmarkt der Besserverdienenden.

In meinem persönlichen Fall war das ziemlich hart, eine

kleine Familie kann man eigentlich nur ernähren, wenn man über ein regelmäßiges Einkommen verfügt. Dennoch versuchte ich, ein gewisses Verständnis für das Handeln meiner Firma zu entwickeln – schließlich war nicht von der Hand zu weisen, dass sich ein Unternehmen in Zeiten wie diesen keine neuen Mitarbeiter leisten kann. Also begegnete ich meiner Entlassung mit Galgenhumor, in der festen Überzeugung, dass dies einer der Momente im Leben sein könnte, in denen es wichtig ist, eine gute Figur zu machen. In den verbleibenden Wochen meines Angestelltendaseins erschien ich betont fröhlich im Büro und achtete darauf, auch durch mein Äußeres den Anschein zu vermeiden, ich würde mit meinem Schicksal hadern. Im Gegensatz zu früher zog ich nun jeden Tag eine Krawatte an, was sonst nur noch ein paar ältere Mitarbeiter taten. Und als ich zum letzten Mal die Redaktion betreten hatte – es war ein außergewöhnlich sonniger Herbsttag –, entfernte ich in meinem Arbeitszimmer alle noch so kleinen Spuren meiner Zeit dort, gab die Zimmerpflanze in die Obhut der Chefsekretärin, ging anschließend von Raum zu Raum und verabschiedete mich mit dem Hinweis, dass ich mein Büro «besenrein» hinterlassen hätte.

Die vorherrschende Meinung unter uns Gekündigten war, man sei «schäbig» mit uns umgesprungen – als Zuckerguss angeschafft und dann gleich abgestoßen, als es auf einmal nicht mehr so lief wie erwartet. Zwar war dies meine erste und bis jetzt einzige Entlassung, viele Vergleiche aus persönlicher Erfahrung kann ich also nicht heranziehen, aber ich konnte nicht finden, dass man besonders schäbig mit mir umgesprungen war. «Menschlich schäbige» Kündigungen sehen anders aus. In Ländern, in denen der Neoliberalismus regiert, in Großbritannien etwa, gibt es keine verbindlichen Regelungen, die vorschreiben, wie die Beschäftigten von ihrer Entlassung zu erfahren haben. Eine Londoner Versicherungsfirma hat ihre Angestellten per SMS darüber informiert. Eine noch ausgefallenere, sehr effiziente Variante des Personalabbaus wendete ein anderes Unternehmen an. Es löste einen Feueralarm aus, damit seine Mitarbeiter sich vor dem Gebäude versammeln. Später kamen all jene nicht wieder hinein, deren Chipkarte nicht mehr funktionierte. Eine amerikanische Investmentbank veranstaltete unter ihrer Londoner Belegschaft sogar eine Lotterie: Wer die Null zog, musste gehen.

Natürlich ist es nie besonders angenehm, entlassen zu werden, aber wenn es überhaupt nette Arten der Kündigung gibt, dann zählt die meine sicher zu den zivilisiertesten. Ich saß auf einem weichen, schwarzen Ledersessel in der Chefetage, mein Vorgesetzter versicherte mir, welcher Verlust mein Weggang für die Firma sei, und in den folgenden Wochen behandelten mich die Kollegen, die es nicht getroffen hatte, derart vorsichtig, als hätte mich eine unheilbare Krankheit befallen. Auch außerhalb des Kollegenkreises war ich fortan mit erstaunlichem Mitgefühl konfrontiert. Beim Sommerfest des Bundespräsidenten – eine der letzten Veranstaltungen, die ich für unsere Zeitung noch aufsuchen durfte und bei der ich Gelegenheit hatte, mich noch einmal richtig satt zu essen – kam sogar der Regierende Bürgermeister, der mich bis dahin nie eines Blickes gewürdigt hatte, von weitem auf mich zu, um mir zu kondolieren.

Allen, die mit offenen Augen durch Berlin spazierten, musste damals klar sein, dass weitere Kündigungswellen folgen würden. In den Fenstern der von Stararchitekten entworfenen Glaspaläste, die in den neunziger Jahren voller Enthusiasmus aus dem Boden gestampft worden waren, sah man überall «Büros zu vermieten»-Schilder. Nicht selten stand, in etwas kleinerer Schrift, der Hinweis «Günstige Konditionen» darunter. Wie diese Konditionen aussahen, hatte sich schnell herumgesprochen: Manche Vermieter hatten solche Mühe, ihre leeren Gebäude mit Leben zu füllen, dass sie abgebrannten Firmengründern Räume mietfrei zur Verfügung stellten. Die Friedrichstraße, die in dem Glauben aufgemotzt worden war, hier werde eine Art Bond Street oder Faubourg St. Honoré entstehen, wo sich Juweliere, Luxushotels, Herrenschneider und teure Bekleidungsläden um die besten Lagen streiten, war zur Haupteinkaufszeit, in der in Ulm oder Villingen-Schwenningen Einkaufswütige mit großen Papiertüten durch die Fußgängerzonen eilen, menschenleer. Die Verkäuferinnen in den Läden von Chanel, Hermès oder Louis Vuitton sahen oft tagelang keine Kunden, und wenn dann jemand reinkam – irgendwelche Russen, die sich hierher verlaufen hatten –, waren sie so verblüfft, dass man in ihren offenen Mündern in den Abgrund der sich auftuenden Wirtschaftskrise blicken konnte. Für den Preis, zu dem sich Anfang der neunziger Jahre Konzerne wie Volkswagen oder Deutsche Bank die Lendenstücke am Boulevard Unter den Linden und an der Friedrichstraße sicherten, könnten sie sich heute die halbe Stadt einverleiben.

Auch dass mit unserem Sozialsystem etwas nicht stimmte, war ziemlich offensichtlich, denn dass ein junger, gesunder, ausgebildeter Mann als bedürftig klassifiziert wird, muss überraschen. Jedenfalls wurde fortan ein Großteil meines Gehalts vom Staat weitergezahlt, und nach Ablauf einer gewissen Frist sollte ich Anspruch auf regelmäßige Zuwendungen haben, die sich an meinem zuletzt recht stolzen Einkommen orientierten. Alternativ konnte man vorgeben, ein 1-Mann-Unternehmen zu sein, und kassierte dafür monatlich das Jahresgehalt eines indischen Piloten.

Wirklich bemerkenswert fand ich den Fall einer Bekannten, die etwa zur gleichen Zeit wie ich entlassen wurde. Sie war Redakteurin bei einer Fernsehanstalt, und obwohl ihr Vater Vorstandschef eines Mischkonzerns ist, hielt sie es für selbstverständlich, nach ihrer Kündigung so genanntes Übergangsgeld zu bekommen. Mit ihrem 5er-BMW, den Vati ihr geschenkt hatte, fuhr sie nach Grünwald, jenem Reiche-Leute-Slum bei München, um sich im Vorstadtpalast ihrer Eltern über ihr schweres Los auszuweinen. Sie nahm ihr Übergangsgeld mit dem allerreinsten Gewissen in Empfang, weil sie, wie sie mir erklärte, «ein Recht darauf» habe, und was rechtens sei, könne nicht falsch sein.

Aber auch ich kassierte zunächst Arbeitslosengeld, sogar eine stattliche Summe, die es mir plausibel erscheinen ließ, meinen neuen Lebensabschnitt als arbeitsloser Familienvater mit einer ausgedehnten Reise zu beginnen. Nach meiner Rückkehr fand ich im turmhohen Poststapel ein maschinell erstelltes Schreiben des Arbeitsamtes: Da ich es versäumt hätte, zu einem bestimmten Datum persönlich vorzusprechen, seien die Zahlungen eingestellt worden; ich hätte jedoch das Recht, dagegen Einspruch zu erheben. Ich sah von diesem Recht ab.

Es ist ja großartig, dass wir in einem Land leben, das «ein Wohlstandsversprechen an vier Fünftel seiner Bevölkerung abgibt», wie Peter Sloterdijk sagt. Spannend wird aber die Frage, ob die sprichwörtliche Stabilität der Bundesrepublik es aushält, wenn die Vanillesoße der staatlichen Transferleistungen und Subventionen nicht mehr so fließt und alle sozialen Disbalancen unter sich bedeckt, wie es das

Gründungsethos der Erhard'schen «Wohlstand für alle»-Ideologie vorsah. Die meisten Experten, leider auch die seriösen, sind der Ansicht, dass die gegenwärtigen Massenentlassungen nur die Vorboten von Größerem sind. In diesem Jahr wird es wieder rund 100 000 Insolvenzen von Unternehmen und Privatpersonen geben, die Abwanderung von Industriebetrieben in Niedriglohnländer wird sich weiter beschleunigen. Bis 2010 wird in Deutschland, vorsichtigen Schätzungen zufolge, jeder vierte Arbeitsplatz in der Industrie und jeder dritte im Einzelhandel perdu sein. Dazu kommen die jetzt anrollenden Fusionswellen. In Deutschland gibt es über 400 000 Bankangestellte. Wie viele davon werden übrig bleiben, wenn es noch halb so viele Banken gibt wie heute? Der Druck der Globalisierung auf unser Lohngefüge wird außerdem so stark, dass selbst die, die nicht gekündigt werden, ihren bisherigen Lebensstandard nicht werden aufrechterhalten können.

An dem Tag, an dem das letzte Ölfass geöffnet wird, kollabiert der Kapitalismus, sagte Max Weber in seinem berühmten Gespräch mit Werner Sombart. Die allermeisten von uns werden diesen Tag noch erleben. Colin Campbell, der als unbestrittene Autorität bei der Bewertung von Ölvorkommen gilt, behauptete 2004: «Es sieht so aus, als ob wir im nächsten Jahr den Höhepunkt erreicht haben.» Dieser «Peak», den Campbell bis vor kurzem noch um das Jahr 2010 herum sah, womit er schon als Pessimist galt, ist ein «neuralgischer Punkt für die gesamte Weltwirtschaft». Von da an läuft sie sozusagen auf Reservetank. Und dies bei steigendem Verbrauch.

Wenn es stimmt, dass die gegenwärtige Ölpreissteigerung nur der Startschuss für die Schlussrallye vor dem Erschöpfen der Erdölquellen ist, stehen wir an einer epochalen Wende, und die nächste Weltwirtschaftskrise wird die von 1929 als Kindergeburtstag erscheinen lassen. Schon bald werden wir auf die Jahre mit sorglosem Weihnachtsshopping, mit Waschmaschinen, die für zwei Paar Socken angestellt wurden, mit Zweitwohnungen und Drittautos und Wochenendtrips nach Tunesien als auf eine völlig unwirkliche, ferne Epoche zurückblicken. Die Preise für Strom, Heizung, Wasser, Transport und dadurch die Kosten für all unser Wirtschaften und Haushalten werden explodieren, und selbst gewissenhaftes Joghurtbecherauswaschen oder die Verwendung von Niedrigenergielampen werden daran nichts ändern. Die Stabilität unserer Wirtschaft ist eigentlich nur mit der von Joschka Fischers Ehen zu vergleichen.

Die fetten Jahre sind, let's face it, endgültig vorbei. Für uns, die wir davon betroffen sind, hat das allerdings auch eine positive Seite: Jahrzehntelang redete der Kapitalismus uns ein, Armut sei etwas Beschämendes. Armut bedeutete: «Der hat es nicht gepackt», der Blöde, der Faule. Doch die Legende des Kapitalismus, der uns ständig einbläute «Jeder kann!», hat sich als unhaltbar erwiesen. Es kann eben nicht jeder! Karrieren werden geknickt, es gibt Gewinner und Verlierer, und die Verlierer werden immer mehr. Wer heute verarmt, muss sich nicht länger als persönlich Scheiternder fühlen – er verarmt als Teil eines viel größeren Prozesses. Damit bekommt sein Schicksal eine historische Dimension, die tröstlich sein kann.

Es ist sehr viel erträglicher, wenn man mit einer ganzen Epoche, einer ganzen Schicht abtritt, als wenn man nur persönlich scheitert. Das erklärt auch die Gelassenheit und Unsentimentalität, mit der viele, die 1945 aus ihren Schlössern und Gutshöfen vertrieben wurden, sich mit der neuen Lage abfanden. Ein alter baltischer Graf sagte mir einmal in diesem komischen lispelnden Dialekt der Balten: «Be-th-itz, mein Lieber, Be-th-itz i-th-t Zufall. Haben zwar alles verloren, wurden dafür aber in der Welt verstreut. Paris, Madrid, Südamerika. In der Provinz in Estland war es auf die Dauer doch recht langweilig.»

Aus eigener Erfahrung darf ich sagen: Relatives Verarmen kann, mit der rechten Haltung verbunden, sogar ein Stilvorteil sein. Meine Familie verarmt bereits seit mehreren hundert Jahren, daher finde ich es selbstverständlich, dass ich in einer Zeit wie dieser mit ein paar Ratschlägen aushelfe, wie man verarmt und sich dabei trotzdem reich fühlt.

Der Aufstieg meiner Familie liegt lange zurück. Damals fürchteten die Menschen sich noch vor umherziehenden Räuberbanden und baten etablierte Räuber, sie vor den weniger etablierten zu beschützen. Mit den üppig fließenden Schutzgeldern bauten wir schöne Burgen. Unsere erste, die Schönburg, steht seit dem 10. Jahrhundert an der Saale in Thüringen. Zur Zeit Kaiser Barbarossas, Mitte des 12. Jahrhunderts, breiteten wir uns im Muldenland aus und ließen in Glauchau unseren neuen Stammsitz errichten. Der Graben dieser Burg war nicht mit gewöhnlichem Wasser gefüllt wie bei hundsordinären Wasserburgen, nein, in unserem Graben sorgten Braunbären für Abschreckung. Bis ins 18. Jahrhundert beherrschten wir das heutige südwestliche Sachsen. Die Wettiner, die inzwischen zu Kurfürsten aufgestiegen waren, versuchten über Generationen, uns die Vorherrschaft im Muldenland streitig zu machen. Und je mächtiger sie wurden, desto mehr gelang ihnen das auch.

1803 schluckte das Königreich Sachsen unser Territorium endgültig. Zwar wurden wir erst knapp 150 Jahre später von den Kommunisten aus unseren Schlössern verjagt, darunter Wechselburg, wo mein Vater seine Kindheit verbrachte und durch dessen endlosen Park die Mulde einen hübschen Schlenker macht, doch da war die Basis unserer Macht und unseres Reichtums längst dahin. Die Enteignung in der Sowjetischen Besatzungszone war nur der logische Abschluss eines sich lange hinziehenden Prozesses: des Abstiegs vom kleinen, unabhängigen Herrscherhaus zum Etagenadel. Aber dass wir gelernt hatten, Verlust zu erdulden, sollte sich später als Vorteil erweisen.

Sowohl mein Vater als auch meine Mutter können als hoch qualifizierte Verarmer bezeichnet werden. Beide teilten das Flüchtlingsschicksal zigtausend anderer ihrer Generation. Mein Vater brachte als Sechzehnjähriger zunächst seine Mutter und fünf seiner jüngeren Geschwister in den Westen, kehrte dann noch einmal ins Muldenland zurück, weil er nicht glaubte, von den russischen Besatzern etwas befürchten zu müssen, entkam seiner Verhaftung aber letztlich doch nur dadurch, dass er ebenfalls in den Westen flüchtete. Interessant ist übrigens, welche Prioritäten er setzte, als er entscheiden musste, was er aus dem Schloss seiner Eltern retten sollte. Statt Schmuck oder Silberbesteck nahm er das Geweih jenes ersten Stückes Wild mit, eines kleinen Bockes, den er an der Seite seines Vaters erlegen durfte.

Meine Mutter flüchtete 1951 mit einundzwanzig Jahren, in der schlimmsten Stalinzeit, aus Ungarn in den Westen. Als sie auf der österreichischen Seite des Neusiedler Sees, übersät von Blutegeln, aus dem Wasser stieg, hatte sie nichts – zumindest nichts Materielles – in Ungarn zurücklassen müssen, weil sie schon längst nichts mehr besaß. Da man in ihr die Klassenfeindin sah, war ihr sogar die Stelle einer Putzfrau verwehrt worden, für die sie sich beworben hatte.

Mitten im deutschen Wirtschaftswunder heirateten meine Eltern, ohne selbst über mehr als das Allernötigste zu verfügen. Sie zogen in eine winzige Wohnung im Berliner Arbeiterbezirk Tempelhof, wo meine älteste Schwester Maya zur Welt kam, dann nach Stuttgart, wo meine Schwester Gloria geboren wurde, und schließlich nahm mein Vater eine Stelle als Afrikakorrespondent der Deutschen Welle an. Von Mitte bis Ende der sechziger Jahre lebte meine Familie in Afrika, zunächst in Lomé (Togo), wo mein älterer Bruder geboren wurde, anschließend in Mogadischu (Somalia), beides Orte, an denen man mit dem bescheidenen Gehalt eines Deutsche-Welle-Korrespondenten wie ein Fürst leben konnte.

Als ich in Mogadischu im Jahr der Mondlandung zur Welt kam, brach in Somalia die Revolution aus und zwang meine Eltern, nach Deutschland zurückzukehren. Damit war für sie die – zumindest aus finanzieller Sicht – sorglose afrikanische Episode beendet. Sie fassten in Deutschland wieder Fuß, doch von dem Wohlstand, der hier damals herrschte, habe ich in meiner Kindheit nicht viel mitbekommen. Der Lebensstil meiner Eltern war äußerst sparsam. Während bei meinen Schulkameraden die Kühlschränke vor Genussmitteln barsten und ein jedes Kind ein Grundrecht auf Nutellaversorgung zu haben schien, stand in unserem Kühlschrank, so scheint es mir zumindest rückblickend, kaum mehr als eine Flasche Milch, und zu essen gab's meine ganze Kindheit hindurch im Grunde immer nur Bratkartoffeln mit Spiegelei. Dinge wie «Urlaubsreisen» oder «Taschengeld» waren mir nur aus den Berichten meiner Schulfreunde bekannt. Unsere Wohnung aber war stets auffallend geschmackvoller eingerichtet als die der meist wohlhabenderen Eltern meiner Freunde. Dafür musste meine Mutter tricksen und die Kunst des Nouveaux-Pauvres-Chics anwenden: an Pressholzregale geheftete Stoffe, unter Kissen und schönen Decken versteckte Ikea-Möbel. Während alle anderen um uns herum sich mit Statussymbolen hochrüsteten, perfektionierten meine Eltern die Kunst der Sparsamkeit. In der Regel trug mein Vater eine mehrmals geflickte Jacke und, um seine Stoffhosen zu schonen, Lederhosen. Ich erbte grundsätzlich die Sachen meines Bruders oder von Vettern. Das angeblich so fürchterliche Ritual, das stattfindet, wenn Mütter mit ihren kleinen Söhnen Kleidung kaufen gehen, ist mir erspart geblieben.

Außer als Korrespondent der Deutschen Welle arbeitete mein Vater als Entwicklungshelfer, er war Naturschützer, und am Ende seines Lebens vertrat er seine alte muldenländische Heimat ein paar Jahre als Abgeordneter im Bundestag. Aber der eigentliche Sinn und Zweck seines Daseins waren der Wald und die Jagd. Meine Kindheit habe ich deshalb als recht nasskalt in Erinnerung, ich erlebte sie im gelben Anorak «Hopp, hopp, hopp!» rufend auf der Treibjagd und neben ihm auf dem Hochstand sitzend, wobei jede Bewegung, das kleinste Geräusch untersagt war und ich nur leise atmen durfte. Stets fuhr mein Vater das billigste Auto, das es gab. Sein Lada, seine Lederhosen, seine abgewetzten Hemden waren mir Tausende Male peinlich. Erst heute leuchtet mir ein, dass sein Stil überlegen war. Wenn ich an ihn zurückdenke, wie er im Bundeshaus auftrat, in seinem etwas ramponierten dunklen Anzug, sieht er besser aus als mancher seiner makellos gekleideten Kollegen.

Der Sparsamkeitstick meiner Eltern, das weiß ich inzwischen, gehorchte nicht nur einem praktischen, sondern vor allem einem ästhetischen Prinzip. Aisaku Suzuki beschreibt in «Zen in der Kunst des Bogenschießens» das Wabi-Ideal der Samurai, in dem von der Schönheit des Weniger, der Ästhetik der Ökonomie die Rede ist. Übermaß war den Samurai nicht zuletzt wegen seiner Hässlichkeit ein Gräuel – und weil Verschwendung «gefühllos» ist. Meine Eltern verkörperten die europäische Variante des Wabi. Für meinen Vater war eine Teekanne dann wirklich schön, wenn sie einen Sprung hatte oder bereits einmal geklebt worden war, und eine Jacke trug er erst von dem Moment an gerne, an dem andere sie ausrangiert hätten.

Als meine ältere Schwester Gloria den Fürsten Thurn und Taxis heiratete, geriet unser Leben nur deshalb nicht aus den Fugen, weil wir mit der Rolle der armen Verwandten sehr reicher Leute bestens vertraut waren. Seit der Nachkriegszeit lebte meine Familie in der ständigen Nähe reicherer Verwandter. Nach ihrer Flucht war meine Großmutter mit ihren kleinen Kindern bei der Schwester meines Großvaters untergekommen, die den Fürsten Maximilian zu Fürstenberg geheiratet hatte, einen der reichsten Waldbesitzer Europas. Mit einer selbst für die damalige Zeit außergewöhnlichen Großzügigkeit hatte er meiner Großmutter einen Teil seines Schlosses Heiligenberg am Bodensee zur Verfügung gestellt, wo sie mit ihren acht Kindern wohnte. Erst viel später, als meine Eltern ein Haus hatten, zog sie bei uns ein. Meine Geschwister und ich verbrachten unsere halbe Kindheit in den Schlössern und Wäldern sehr reicher Verwandter. Dabei wurden wir dazu erzogen, unser Leben ja nicht mit dem ihren zu verwechseln. Einmal wagte ich es, den Diener um eine Cola oder sonst was zu bitten, und bekam dafür ziemlichen Ärger, weil man als Kind Diener um nichts zu fragen hat.

Das Nebeneinander von Arm und Reich war für mich also etwas völlig Normales. Allerdings war da immer eine

21

Grenze zwischen den Habenden und den Habenichtsen. Wenn es auch stimmt, dass im Adel bei Jagden und großen Festen ein buntes Gemisch herrscht – beliebt sind arme Verwandte in den seltensten Fällen. Das heimliche Vorbild der wenigen reich gebliebenen Adeligen ist jener westfälische Baron, der nach dem Krieg einen Flügel seines Schlosses abreißen ließ, um vor dem Ansturm armer Standesgenossen sicher zu sein, die durchgefüttert werden wollten. Die Generation der Clanchefs, für die es üblich war, ganze Zweige der Familie und hilfsbedürftige Verwandte regelmäßig finanziell zu unterstützen, ist längst ausgestorben; ihre Söhne haben diese Praxis beendet und sich damit nicht viele Freunde unter den armen Verwandten gemacht.

Die Vermischung von Arm und Reich innerhalb des Adels wird zunehmend dadurch beeinträchtigt, dass immer weniger reiche Verwandte so genannte große Häuser mit Personal führen, lange Besuche der Verwandtschaft also gar nicht mehr in Frage kommen. Die Zeiten, als man sich zum Tee ankündigte und dreißig Jahre bleiben durfte, sind vorbei. Selbst die reichen Fürstenfamilien, die noch vor zwanzig Jahren im ganzen Schloss residierten, sind bereits vor zehn Jahren in einen kleinen Flügel umgezogen und bewohnen jetzt das viel praktischere Häuschen im Park. Alle führen inzwischen ein modernes Leben, und entsprechend seltener berühren sich die Welten der Armen und der Reichen. Neunzig Prozent der Adeligen wohnen in Mietwohnungen oder bestenfalls Reihenhäuschen in der Provinz, bangen um ihren Arbeitsplatz, wenn sie noch einen haben, und fahren einen Gebrauchtwagen. Als ich meinen Job verlor, sagte ein Kollege zu mir: «Sie müssen sich ja keine Sorgen machen!» – als ob jeder, der ein «von» im Namen trägt, über Latifundien jenseits der Wolga verfügt, wohin er sich zurückziehen kann. Auf die Gefahr hin, ein lieb gewordenes Klischee zu beschädigen: Der deutsche Adel ist, bis auf eine Hand voll übrig gebliebener Großgrundbesitzer, längst in der sozialen Realität der Bundesrepublik angekommen.

Zum geübten Grenzgänger zwischen der Welt der verschämten Armut und des unverschämten Reichtums wurde ich, weil der verstorbene Mann meiner Schwester, Fürst Johannes von Thurn und Taxis, mich in meiner Jugend gern in seinem Gefolge hatte. Also musste ich damit zurechtkommen, an einem Tag neben Ölprinzen, Maharadschas und Tycoons zu sitzen und am nächsten Morgen wieder in die Schule zu gehen, zu studieren oder mich als freier Journalist durchzuschlagen. Mein ganzes Leben hatte ich mit dem Kellner-im-Ritz-Syndrom zu kämpfen, jenem Verschwendungsvirus, das klassischerweise Kellner im Ritz befällt, die nicht damit fertig werden, dass sie ständig von Luxus und Prasserei umgeben sind und nach Feierabend in ihrer Zweizimmerwohnung mit tropfendem Wasserhahn sitzen.

In Reaktion auf die Sparsamkeit meiner Eltern und um den geschauten Luxus zu imitieren, entwickelte ich zum Beispiel ein Faible fürs Erste-Klasse-Reisen. Wenn mich meine Mutter in München zum Bahnsteig brachte, stieg ich vor ihren Augen in den Wagen mit den Abteils der zweiten Klasse, wartete, bis sie außer Sichtweite war, und ging dann in die erste Klasse. Ich musste meine Vorliebe geheim halten, weil ich dafür von meiner Familie ausgelacht worden wäre. Als meine Mutter bei mir eine Rechnung fand, aus der hervorging, dass ich mir bei Prantl in München teures Briefpapier hatte drucken lassen, glaubte sie an ein Missverständnis. Und als sie durch eine meiner Cousinen, die in «Brenner's Park Hotel» in Baden-Baden arbeitete, erfuhr, dass ich dort einmal übernachtet hatte, war sie sicher, da müsse eine Verwechslung vorgelegen haben.

Nachdem ich mich von meinem Elternhaus abgenabelt hatte und mit Freunden in einer WG in London wohnte, verdiente ich zwar teilweise sehr gut, gab das Geld aber grundsätzlich schneller aus, als ich es einnehmen konnte. Irgendwie kam es auf wundersame Weise dennoch immer wieder aus der Cash-Maschine, so wie der Strom aus der Leitung und das Wasser aus dem Hahn. Erst als ich merkte, dass ich keine Tankstelle und keinen Bahnhofskiosk verlassen konnte, ohne die Hände voller Gekauftem zu haben, dass ich das Wasser beim Zähneputzen laufen ließ, weil der Sound einfach dazugehörte, dass ich mich nicht mehr nach Münzen bückte, die mir aus der Hosentasche unter den Beifahrersitz fielen, begann ich zu verstehen, dass meine Verschwendungssucht ein lächerliches Aufbegehren gegen den Sparsamkeitswahn meiner Eltern war. Allmählich kam ich dahinter, dass die Kunst des Verzichtenkönnens, die meine Eltern perfektioniert hatten, jeder Verschwendungssucht nicht nur aus ästhetischen Gründen weit überlegen ist, sondern vor allem einem ganz praktischen Zweck dient: der Optimierung des Genusses.

Der Erfinder dieses Prinzips ist Epikur: Meide Genusssucht, nicht weil Sinnesgenüsse schlecht sind, sondern wegen des Katers, der ihnen bei Überdosierung folgt. Für Epikur führt zeitweiliger Verzicht zur Steigerung der Genussfähigkeit. Wer immer prasst, wird bald selbst die köstlichsten Dinge nicht mehr genießen können. In der Volkswirtschaftslehre nennt man das «abnehmender Grenznutzen»: Ab einem gewissen Punkt macht zusätzlicher Überfluss gar keinen Unterschied mehr. Es verbessert dann auch nicht die Lebensqualität, wenn man sich, wie Heini Thyssen, Picassos ins Gästeklo hängt oder, wie der Sohn eines Scheichs aus den Emiraten, wöchentlich Nick Faldo für ein paar Golfstunden einfliegen lässt.

In der Überflussgesellschaft werden die Konsumenten zwangsläufig enttäuscht. Die Wirtschaft hat uns durch immer raffinierteres Brainwashing einzubläuen versucht, dass Glück käuflich sei. Mittlerweile hat sich das als Irreführung erwiesen. Durch Wellness-Angebote, vom ayurvedischen Tee bis zum Fitnessschokopudding, versucht die Industrie noch davon abzulenken, doch es lässt sich nicht mehr leugnen: Wir brauchen einen neuen Luxusbegriff! Wohlstand hängt nicht davon ab, viel Geld und viele Dinge anzuhäufen, man kann ihn sich nur durch die richtige Haltung aneignen.

Zu dieser Haltung gehört die Fähigkeit, verzichten zu können, wo alle zulangen; die Unabhängigkeit, den Lebensstil der anderen nicht zum Maßstab für einen selbst werden zu lassen; und die Einsicht, dass unser wirtschaftlicher Niedergang kein absolutes Unglück sein muss, sondern vielleicht sogar die Gelegenheit zur Verfeinerung unserer Lebensformen bietet. Die Krise ist, nach Max Frisch, ein ungemein produktiver Zustand, man muss ihr nur den Beigeschmack der Katastrophe nehmen.

In einer Zeit der völligen Homogenisierung und Standardisierung kann eine Krise auch eine Chance sein, der Gleichschaltung kleine Schnippchen zu schlagen, und sei es nur, dass man nicht auf jeden Marketingtrick hereinfällt. Wenn Kaffeehausketten einen zwingen wollen, einen «Super Grande Supremo» zu trinken, ist das lange noch kein Grund, nicht einfach einen großen Kaffee ohne Milch und Zucker zu bestellen. Wenn irgendeiner Marketingabteilung auf Ecstasy der Einfall gekommen wäre, eine Tassengröße auf den Namen «Superduper-Mega-Cup» zu taufen, müsste man das auch mitmachen? Oder der «Fall

Rucola»: Selbst in den verwegensten Salaten fand Rauke keine Verwendung, sie war den Leuten schlicht zu bitter. Dann kam jemand auf die Idee, statt Rauke Rucola zu sagen, und seither gibt es in Deutschland fast nichts mehr, was nicht «an» oder «auf» Rucola serviert wird. Zwischen Hamburg-Eppendorf und München-Grünwald herrschte in den Glanzzeiten des New-Ecomomy-Booms eine derartige Nachfrage nach Rauke, dass nur Brandenburg und Mecklenburg-Vorpommern über genügend Anbaufläche verfügten, um den Bedarf zu decken.

Ohne Geld reich werden kann man nur, wenn man alle seine Bedürfnisse darauf überprüft, ob man nicht ohne sie reicher ist. Braucht man, um eines von tausend Beispielen zu nennen, ein Handy? Oder ist Unerreichbarkeit ein Privileg geworden, das sich allenfalls Leute wie Osama Bin Laden leisten können? Und das Internet? Der Präsident der Weltbank, James Wolfensohn, hat einmal behauptet, den Ärmsten der Armen stehe nicht allein das Recht auf Versorgung mit frischem Wasser zu, sondern ebenso das Recht auf freien Zugang zum Daten-Superhighway. Wer keinen Zugang zum Internet habe, sei von der wirtschaftlichen Revolution abgeschnitten, gehöre also zur wirklichen Unterschicht des neuen, digitalen Zeitalters. Ist die Möglichkeit, weltweit mit Gleichgesinnten zu chatten oder online Solitär zu spielen, Lebensnotwendigkeit oder Luxus? Oder ist es inzwischen Luxus, darauf verzichten zu können? Im alten Griechenland bezeichnete das Wort «Idiot» einen Menschen, der sich nicht am öffentlichen Leben beteiligt. Vielleicht hat sich das durch die totale Vernetzung in sein Gegenteil verkehrt. Vielleicht ist heute der ein Idiot, der nicht fähig ist, sich der Vernetztheit zu entziehen.

Wenn wir gezwungen sind, auszumisten, unsere Lebensgewohnheiten einer Revision zu unterziehen, bietet uns das die Chance, die wirklich luxuriösen Dinge des Lebens schätzen zu lernen. Die Verarmung kann auch lehren, Prioritäten zu setzen oder überhaupt erst zu erkennen, was einem wichtig ist. Wir können uns – um in der Sprache der Effizienzmanager zu sprechen, die unsere Welt im Griff haben – endlich auf unser Kerngeschäft konzentrieren und «Lean Management» betreiben. Genau wie die Wirtschaft das getan hat, antworten wir mit einem Tritt auf die Kostenbremse. Wie man dabei so verfährt, dass man obendrein an Lebensqualität gewinnt, verrät dieses Buch.

Zunächst sollte der Leser wissen, dass hier Genuss keineswegs, auch nicht zwischen den Zeilen, diffamiert werden soll. Es darf allerdings schon gefragt werden, ob es nicht etwas gibt, das genüsslicher ist als der gegenwärtige Kurzreisewahn. Oder ob das, was wir «schön essen» nennen, nicht furchtbar ungenüsslich ist. Doch all das dient der Suche nach dem guten Leben, nicht seiner Negation. Genuss ist die Voraussetzung dafür, sich mit der Welt zu verbinden, ohne ihn würde der Mensch veröden. Sich vom Materiellen abzuwenden, allem Genuss den Rücken zu kehren und Asket zu werden ist der Weg für Feiglinge und Rigoristen. Wenn man wie Diogenes freiwillig stinkend in der Tonne liegt und sich so weit abgehärtet hat, dass einem alle Annehmlichkeiten zuwider sind, kann es auch keine Kunst mehr sein, auf diese zu verzichten. Die echte Kunst ist die Fähigkeit, erstens die wirklich schönen Dinge zu erkennen und sie zweitens so zu dosieren, dass man am meisten von ihnen hat. Die Kunst des Verzichtenkönnens ist die eigentliche Voraussetzung für Genuss.

Einen wichtigen Grundsatz zur Optimierung des Genusses und damit auch des Lebensglücks möchte ich vorwegnehmen: Je kapriziöser man ist, je abhängiger man sich also von Dingen macht, desto ärmer ist man. Sehr viele reiche Leute sind daher sehr arme Menschen, weil sie ständig mit irgendetwas nicht zufrieden sind – das Seidenhemd ist nicht richtig gebügelt, der Bundeskanzler hat wieder mal nicht gegrüßt, der Chauffeur riecht nach Knoblauch und überhaupt. Besonders unter den Reichen gibt es überdurchschnittlich viele unglückliche Menschen, und das sollte uns allen, die wir ja im Vergleich mit anderen ebenfalls reich sind, zu denken geben. Die einzigen Reichen, die einigermaßen glücklich wirken, sind die, die sich einzuschränken wissen. Ob es noch so harmlose Dinge sind wie der Cappuccino, den man morgens angeblich «braucht», oder ob man, wie der Prince of Wales, partout nur mit dem mitgeführten Silberbesteck essen kann, letztlich ist das egal; jedes Eingeständnis, dass man etwas unbedingt «braucht», kommt bereits einer Kapitulation gleich. Im Kampf gegen die übermächtige Vulgarität der Massenkultur kann es nur kleine Triumphe geben, und ein solcher Triumph kann zum Beispiel darin bestehen, ohne etwas auszukommen, auf das man glaubte, nie verzichten zu können.

Dieses Buch wird einige Hilfestellungen geben zur Verteidigung der Lebenskunst gegen den Konsumwahn. Wer rechtzeitig lernt, mit weniger Geld umzugehen, gehört bald einer beneidenswerten Elite an, denn wirklich unbequem wird die kommende Epoche allenfalls für die Besitzenden. Sie werden ihre Tage hauptsächlich damit verbringen, um ihren Besitz zu bangen. Doch wer wenig hat, hat auch weniger zu verlieren. Und wer über das Selbstverständnis eines Vladimir Nabokov verfügt, muss nichts haben, um etwas zu sein.

Der soziale Abstieg ist eine Kunst. Ganze Völker haben ihn mit Bravour gemeistert. Und manchmal kommt sogar im Abstieg erst der wahre Glanz zum Vorschein. Im folgenden Kapitel werden wir zunächst einigen Vorbildern begegnen, die jene Kunst in einem hohen Grad beherrschen.

«Erfolg ist: Von Niederlage zu Niederlage
zu gehen und dabei nicht den Enthusiasmus zu verlieren.»

WINSTON CHURCHILL

Helden der Armut

Wie man ohne Geld eine gute Figur machen kann

Gäbe es eine Ruhmeshalle für Helden der Armut, müssten
dort viele stehen; sie alle aufzulisten würde den Rahmen
dieses Buches sprengen. Aber es müsste in so einer Halle
nicht nur Menschen gedacht werden, sondern auch ganzer
Städte und Zivilisationen. Der Ehrenplatz im Saal für Zeit-
genossen müsste einem Mann gebühren, den ich seit Jahren in großen Abständen immer wieder erleben durfte und
den ich zuletzt kurz vor seinem sechzigsten Geburtstag für
ein Interview besuchte: einem der größten Schauspieler
der Filmgeschichte, Helmut Berger.

Helmut Berger

Es war für mich eines der schwierigsten Interviews, die ich
je geführt habe. Erstens, weil ich den Mann sehr mag, wir
uns als Freunde betrachten, die journalistisch relevante
Nachricht über ihn aber zweitens nur lauten konnte: Helmut Berger, einst der gefeierte Star unter Europas Schauspielern und der wahrscheinlich schönste Mann der Welt,
dem Hollywood ebenso wie Cinecittà zu Füßen lag, ist
vom Olymp der Superstars herabgestiegen zu den Sterbli-

chen. Sein Geld ist weg, er hat seine Wohnung in Rom verloren, jetzt lebt er wieder zu Hause bei Muttern in Salzburg. Da Abstieg in unserer Zeit als etwas Beschämendes gilt, hatte sich die respektlose Wiener Presse bereits mehrfach über einen angeblich abgewrackten, bei Partys angetrunken erscheinenden Berger lustig gemacht.

Wir hatten uns im «Österreichischen Hof» verabredet, der mittlerweile «Sacher Salzburg» heißt. Es kam ein Mann herein, der wie ein Clochard aussah, dabei aber eine derartige Erhabenheit ausstrahlte, dass jeder, der sich in der Hotellobby aufhielt, instinktiv zur Seite trat, um in respektvollem Abstand dem Schauspiel beizuwohnen, das ein Auftritt Helmut Bergers bedeutet. Im Blick des Empfangschefs flackerte zwar Panik auf, als Berger mit wirrem Haar, die Paschmina-Stola aufreizend um seinen Hals werfend, die gläserne Schwingtür zur Lobby öffnete, gleichzeitig war in seinen Augen aber auch zu lesen: Dieser Mann ist nach Mozart der berühmteste Sohn der Stadt, er ist unantastbar; und wenn ein paar japanische Touristen darüber entsetzt sind, dass er vor ihnen mit der Zunge schlackert und sein Gesicht zu dämonischen Grimassen verzieht, so sei es. Sogar der Erzherzog Karl von Österreich, der im Trachtenjanker in der Lobby stand und sich mit jemandem unterhielt, zuckte nicht einmal mit der Wimper, als Helmut Berger obszön gestikulierend an ihm vorbeigeleitet wurde.

Dann begann das Mittagessen, für das die Direktion des Hotels in weiser Voraussicht ein Séparée des Wintergartens hatte herrichten lassen. Da Berger in frühen Jahren selber Kellner war, weiß er als Gast, was er an Orten wie diesen erwarten kann.

«Darf ich Ihnen, Herr Berger, den Hummer empfehlen?», sagt die zuvorkommende Bedienung.

«Ausgelöst?»

«Selbstverständlich, mit etwas gebutterter Tagliatelle und weißem Trüffel.»

«Sind Sie wahnsinnig!? Keine Nudeln, keine Buttersoße! Unverschämtheit! Auf meinen Hummer kommt höchstens ein wenig Vinaigrette! Haben Sie so was? Oder Zitrone?»

Einzelheiten unseres Gesprächs wiederzugeben wäre schwierig, da das meiste nicht wirklich artikuliert vor sich ging, was auch an der im Nachhinein blödsinnigen Entscheidung lag, Wein zu bestellen. Aber immer noch beherrscht Berger sein ganzes gespenstisches Repertoire an Gesten, und am reizendsten spielt er sie aus, wenn er – was oft passiert – über ein Thema plötzlich nicht mehr reden will und eine spektakuläre Müdigkeit vortäuscht: Er schaut einem in die Augen und macht mit dem Zeigefinger in der Luft den Scheibenwischer. Nutzt das nichts und insistiert man weiter, lässt er sich, während man versucht, die letzte Frage neu zu formulieren, vornüber in sein Essen fallen und taucht mit Stücken gegrillten Hummers mit Vinaigrette auf seiner Stola wieder auf.

Nur ein paar Bemerkungen dieses anstrengenden und doch auch wunderbaren Mittagessens möchte ich für die Nachwelt festhalten: Helmut Berger, die Symbolfigur der Promiskuität und Bisexualität, der in seiner Autobiographie wenige Jahre zuvor behauptet hatte, dass Sex am besten sei, wenn es um die «pure Lust» geht, «ohne Schmeicheleien vorher und nachher», meinte nun, am Vorabend seines sechzigsten Geburtstags, ermattet, etwas Vinaigrette über seinen Hummer gießend: «Weißt du, Sex ohne Liebe ist ... Pah! ... C'est rrrrien! Vergiss es!» Vor einiger Zeit hatte er noch in Interviews verkündet, er habe sein Leben lang unter der katholischen Sexualmoral seiner Kindheit gelitten, weil ihn bei jedem Gedanken an Sex Schuldgefühle plagten. Bei unserem Mittagessen sagte er: «Diese

Schuldgefühle, die ich damals mühsam unterdrückt habe … das waren Eingebungen, vielleicht die meines Schutzengels. I decided not to listen.» Außerdem sei es immer schwieriger geworden, exzessiver als die anderen zu sein. Als die gesamte römische Society in den siebziger Jahren dem Kokain verfallen war und ständig zum Naseschnubbeln in die Toilettenräume verschwand, blieb Berger, um die anderen wie Spießer aussehen zu lassen, nichts übrig, als Unmengen des Giftes in aller Öffentlichkeit zu konsumieren. Bei Bulgari ließ er sich einen kleinen Strohhalm aus Gold anfertigen, den er forthin an einer Kette um den Hals trug. Auch die vergoldete Rasierklinge zum Zerkleinern der Kristalle hatte er stets griffbereit.

Die größten Rollen – und man muss sagen: Es waren in der Tat sehr große Rollen – lagen zu jener Zeit schon hinter ihm: der junge Erbe Martin von Essenbeck in Luchino Viscontis «Die Verdammten» (1968), das schwindsüchtige Großbürgersöhnchen in Vittorio de Sicas «Garten der Finzi Contini» und schließlich «Ludwig II.». An seinem dreißigsten Geburtstag war Helmut Berger der begehrteste Jungschauspieler seiner Zeit. Er fand es nur konsequent, von da an das Leben shakespearisch als Bühne zu begreifen und sich nunmehr selbst zu spielen. Als Visconti, sein großer Gönner, 1976 starb, wählte Helmut Berger die Rolle, die zur Rolle seines Lebens werden sollte: die des wahnsinnig gewordenen Witwers, der aber noch in Augenblicken des Exzesses seine Haltung nicht verliert. Beim Rosenball der Grimaldis in Monte Carlo war er einmal derart zugekokst, dass er die Kontrolle über seinen Schließmuskel verlor und das Hinterteil seines weißen Smokings so bedreckte, dass er bis zum bitteren Ende des Festes um sechs Uhr morgens an seinem Platz sitzen blieb und sich keinen Millimeter rührte.

Berger wurde zum Inbegriff der Exzessivität. Seinen fünfzigsten Geburtstag beging er im Haus der Gräfin d'Estenville. Vielleicht war dieses Fest das späte Finale, das letzte Aufbäumen der sorglosen Dekadenz der siebziger Jahre, Höhepunkt der Befreiung von den Konventionen und zugleich mächtiger Schlussakkord des Niedergangs. Viele, die damals in den Salons dieses barocken römischen Patrizierpalastes feierten, sind entweder bereits gestorben oder von der Bildfläche verschwunden. Nie wieder wurden so viel Kokain, Kaviar und Champagner in so rauen Mengen konsumiert wie an jenem Abend.

Zu den Überlebenden des Abends gehören immerhin Jack Nicholson, Roman Polanski – und auf seine Art auch Helmut Berger. Eine nennenswerte Rolle war ihm schon seit Jahren nicht mehr angeboten worden. Dennoch hatte Berger in den Achtzigern weiter wie ein römischer Prinz auf Weltreise gelebt, stets mit Privatsekretär unterwegs, sein Vermögen aufzehrend. Er frequentierte grundsätzlich nur die besten Hotels, vermehrt allerdings mit dem Handicap, dass sie ihm Hausverbot erteilten. Im Münchner «Vier Jahreszeiten» musste das kostbare Inventar einer Suite für ein spontanes «Dschungelfest» herhalten, bei dem er und seine Gäste die Gobelins an den Wänden als Kostüme benutzten und die Lüster zu Lianen umfunktionierten. Beim Auschecken zahlte Berger mit größter Selbstverständlichkeit die Rechnung, 90 000 D-Mark, bei der unter «Extras» vermerkt war: «Bitte besuchen Sie uns nicht wieder.»

Der Klatschreporter Michael Graeter behauptet, Helmut Dietl habe ursprünglich sein «Kir Royal» mit Berger in der Rolle des Münchner Klatschreporters Baby Schimmerlos geplant, sich jedoch aus Angst vor den exzentrischen Ausfällen des «Alt»-Stars, der langsam wie eine berühmte

Figur aus der Stummfilmzeit wirkte, dagegen entschieden und Franz Xaver Kroetz gewählt. In so mancher Kunstproduktion tauchte Berger noch einmal auf, in Quentin Tarantinos «Pulp Fiction» huscht er als Zitat über die Leinwand, im Denver-Clan durfte er mitspielen, wurde aber vom Regisseur gefeuert, weil er sich nicht verbieten lassen wollte, Jack Nicholson während der Dreharbeiten zu besuchen («I told them to go and fuck themselves!»). Im Herbst 1992 schließlich, er hatte inzwischen keinen Privatsekretär mehr, brannte sein Appartement in Rom ab. Bilder von Miró, Chagall und Schiele, eine Keramik von Picasso, eine Sammlung von Jugendstilvasen und -möbeln, zahllose Briefe und Erinnerungsstücke wurden vernichtet. Helmut Berger verlor eigentlich damals schon alles von Wert, was er noch besaß. Der Umzug in die Via Nemea war für ihn der endgültige Abschied von einer Epoche.

Er lernte, sich damit abzufinden, gab sein letztes Geld dafür aus, Freunden Geschenke zu machen, und als ihm eines Tages seine Wohnung in der Via Nemea gekündigt wurde, packte er das wenige, woran ihm etwas lag, und zog zu seiner Mutter nach Salzburg. Zu ihr hatte er seit frühester Jugend, als offenbar wurde, dass Helmut ein wenig «anders» war, ein inniges, komplizenhaftes Verhältnis. Sie verstand auch, dass er aus der stickigen Atmosphäre der elterlichen Bierschänke in die «große weite Welt» entfliehen musste. Jetzt ist er eben wieder da, der Junge, und weder Sohn noch Mutter sehen darin ein beklagenswertes Unglück. Helmut Berger geht manchmal in die Stadt, kauft stangenweise Zigaretten ein, lässt im Lidl bisweilen Lachsfilet mitgehen, und wird er erwischt, behandelt man ihn mit dem größten nur denkbaren Respekt. Der Salzburger ist nun mal ein Kulturmensch.

Bei unserem Treffen steckte er in einem Kiosk ein billiges Plastikfeuerzeug und eine Ansichtskarte ein, nachdem er zuvor knapp hundert Euro für Zigaretten ausgegeben hatte. Er tut das, um der Rolle gerecht zu werden, welche die Welt ihm zugedacht hat: die des Grandseigneurs, der zum Clochard abgestiegen ist. Als er bei unserem Spaziergang durch Salzburg, bei dem er mich immer wieder darauf aufmerksam machte, dass er sich womöglich jeden Moment übergeben müsse, vor dem Mozarthaus einen Haufen zusammengefalteter, alter Kartons sah, schmiss er sich drauf und nahm die Pose des Obdachlosen an, dies allerdings mit einer unvergleichlichen Stilsicherheit. Dieser Mann würde selbst tot eine einwandfreie Figur machen.

An neuen Rollen liegt ihm nicht viel, er sagt, er habe den Olymp bestiegen und keine Lust, sich jetzt in der Tiefebene herumzutreiben: «Ich habe alles gesehen. Paris, Madrid, Monte Carlo, New York, Rom, Mailand.» Diese Reihe spricht er aus, als handle es sich um eine einzige, riesengroße Weltstadt mit brillantfunkelndem Namen.

Während wir durch Salzburg spazierten, trug er die ganze Zeit ein Drehbuch mit sich herum. Ein englischer Regisseur hatte es ihm geschickt, begleitet von einem Bettelbrief. Berger sollte einen Geist spielen, der immer wieder Alexander dem Großen erscheint. Die Gage, die man ihm dafür bot, war angeblich phänomenal. Aber Helmut Berger fand das Skript entsetzlich: «Ich werde den Film nicht machen! Basta! Je ne veux pas. I will tell them ce soir. Fuck 'em!»

Bevor er sich ein Taxi rief, kaufte er mit dem letzten Geld, das er in der Tasche hatte – drei zusammengeknautschte 20-Euro-Scheine –, ein riesiges Schokoladenpräsent für seine Mutter und eine Sachertorte für Irina, meine Frau, die er bei unserer Hochzeitsreise kennen gelernt hat. (Damals war er so freundlich, am Schluss eines

Dinners mit Harvey Keitel – nachdem er den ganzen Abend, ein wenig zu unserer Enttäuschung, völlig unauffällig war – beim Aufstehen auszurutschen und so hinzufallen, dass er fast das gesamte Restaurant mitriss.)

Beim Abschied fragte er mich noch, ob ich nicht zum Abendessen vorbeikommen wolle. «Meine Mutter macht die besten Palatschinken der Welt.»

Pisa

So, wie es unter Menschen Altarme, Altreiche, Neuarme und Neureiche gibt, so auch unter Städten. Berlin wird in der Gesellschaft der Städte zum Beispiel als Emporkömmling betrachtet. Wenn Berlin auf eine Cocktailparty käme, auf der München, Köln, Hamburg, Frankfurt herumstünden, würde es von dem einen oder anderen von oben herab behandelt. In Berlin, so würde man hinter vorgehaltener Hand lästern hören, sei kein Stein älter als 150 Jahre, und die meisten neuen Gebäude seien nichts als eine Kopie der Kopie der Kopie. Das mag ja im Großen und Ganzen stimmen, nur haben die Münchner ihre Innenstadt auch erst etwa einhundert Jahre vor den Berlinern aufgemotzt. In der Innenstadt um die königliche Residenz entstand damals die Las-Vegas-hafte Rekonstruktion florentinischer Paläste, die heute so charmant authentisch wirkt. Und was soll, in puncto Seniorität, erst Augsburg sagen? Oder Regensburg? Oder Worms und Köln? Gegenüber Köln ist München der Parvenü. Und Köln gegenüber Rom. Und Rom gegenüber Athen. Da kann man immer so weitermachen, bis man in Bagdad landet, jedenfalls irgendwo im Zweistromland, wo sich laut Buch Genesis der Garten Eden befunden hat.

Wenn man eine Stadt ermitteln will, die den anderen an Vornehmheit überlegen ist, genügt nicht allein der Blick auf das Alter. Wirklich elegant ist vergangene Blüte. Je farbenfroher die Blüte und je größer die Diskrepanz zur heutigen Stellung, desto erhabener die Vornehmheit. Nach diesen Kriterien gebührt Pisa wahrscheinlich der erste Rang unter den Städten.

Im achten Jahrhundert war das Bildungsniveau dort so hoch, dass Karl der Große darauf bestand, einen Pisaner Schreiblehrer zu bekommen. Und bereits im zwölften Jahrhundert wurde in Pisa eine Schule der Juristerei gegründet. Seine erste Glanzzeit erlebte die Stadt jedoch schon lange, bevor Rom überhaupt existierte. Über Jahrhunderte war Pisa die einzige bedeutende Hafenstadt auf der westlichen Seite des italienischen Stiefels. Mit dem Aufstieg Roms wurde sie durch die gleichmacherische Wut des Imperiums zur Kolonialstadt, und man setzte ihr im Norden Genua als moderneren Hafen in den Nacken.

Nachdem das römische Weltreich durch die «Barbaren» zu Fall gebracht worden war, gab es in ganz Europa nur einige Inseln der Zivilisation: die Klöster – und eben Pisa. Die alte Hafenstadt wurde zur Bildungsmetropole und Seefahrernation, und in das Vakuum hinein, das durch das Fehlen einer Großmacht entstanden war, entfaltete sie ehrgeizige Pläne zur Weltherrschaft. Die «Welt» war damals gleichbedeutend mit dem Mittelmeer, und von der Mitte des zwölften Jahrhunderts an war diese Weltherrschaft zweihundert Jahre lang Realität. Zum pisanischen Staat gehörten an seinem Zenit Kalabrien, das man den Seeräubern entrissen hatte, Korsika und die Balearen. Mit Gründung des fränkischen Kaiserreichs wurde Pisa Sitz der kaiserlichen Regierung. Um das Jahr 1200, auf dem Gipfel des ritterlichen Zeitalters, war es das Zentrum für Hofbeamte,

Aristokraten, Gelehrte, Kaufleute und der Schnittpunkt zwischen Orient und Okzident. Der Dom, der Elemente einer Moschee und einer Synagoge vereint, ist ein eindrucksvolles Zeugnis für den multikulturellen Geist, der in Pisa geherrscht haben muss, als dies die ehrgeizigste Seefahrerstadt Europas war.

Doch das ritterliche Zeitalter musste der modernen Welt Platz machen, das Imperium der Hohenstaufer zerfiel, Kaiser Barbarossa starb 1190 (während er auf seinem Kreuzzug ein Bad nahm). Als sein Sohn Friedrich II. sorglos von Sizilien aus das Heilige Römische Reich regierte und ein bisschen mit dem Papst stritt, fielen die Mongolen über Europa her, die Stauferzeit ging zu Ende, und Pisa glitt in die Bedeutungslosigkeit ab. Die Nachbarstädte Genua, Lucca und Florenz, die von jeher mit Neid auf die pisanische Hochkultur geschielt hatten, ergriffen die Gelegenheit, die stolze Stadt endlich zu Fall zu bringen, verbündeten sich und eroberten sie. 1392 wurde Pisa an die Visconti in Mailand verkauft, welche die Stadt wiederum an die Florentiner weitergaben. Revolten der Pisaner gegen die verhasste Krämerstadt Florenz wurden stets mit größter Effizienz niedergeschlagen. Als Galileo Galilei hier im 16. Jahrhundert lehrte, war Pisa längst keine Metropole mehr, sondern Provinz geworden.

Wenn eine Stadt ein Wesen wäre, das Schmerz empfinden kann, müsste Pisa eigentlich unter der Demütigung leiden, heute nur noch für diesen Schiefen Turm berühmt zu sein. Doch mit Gelassenheit lässt sich Pisa gefallen, wie sich jeden Tag aufs Neue Abertausende Touristen auf den Campo dei Miracoli, den Platz der Wunder, ergießen, um den Schiefen Turm zu fotografieren, und die viel imposanteren Gebäude, den schon erwähnten Dom und das einzigartige

Baptisterium, links liegen lassen. Pisa und die Pisaner belächeln gutmütig die Touristen, die nur schnell per Bus kommen, ihre Fotos machen, Geld hier lassen, die Altstadt ansonsten jedoch verschonen und wieder nach Florenz, Lucca oder zur Toskana-Rundfahrt verschwinden.

Die meisten jungen Leute, die man in Pisa trifft, sind Schüler der Scuola Normale Superiore, Italiens einziger Elitehochschule. In gewisser Weise ist Pisa die elitäre Minimetropole aus Urzeiten geblieben, nur dass sie nicht mehr im Mittelpunkt des Weltinteresses steht. Wenn ein Preis zu vergeben wäre für die Gleichgültigkeit dem eigenen Bedeutungsverlust gegenüber, dann zählte Pisa zu den ersten Kandidaten.

Ungarn

Man kann kaum über Abstieg in Anmut reden, ohne die beiden Länder zu nennen, in denen diese Kunst perfektioniert worden ist: Ungarn und England. Das Format, ob als Nation, Stadt oder Person – das zeigt sich hier deutlich –, wird am klarsten in der Niederlage sichtbar. Ein fairer Gewinner zu sein ist nicht so schwer, gute Verlierer aber, die mit Gelassenheit, aufrechter Haltung und im Idealfall sogar einer Prise Humor ihren Untergang hinnehmen, sind selten. Der Herzog von Charost las auf dem Weg zur Guillotine ein Buch. Als er die Stufen zu seinem Henker hinaufstieg, markierte er die Stelle, wo er aufgehört hatte, zu lesen. Kein Volk Europas beherrscht diese Art von Galgenhumor besser als die Ungarn.

Humor gibt es überall dort, wo die Menschen ihr Haupt aufrecht tragen, was immer auch geschehen mag. Wenige Kulturen sind so wiederholt gedemütigt worden wie die

Ungarn, und dennoch würde Ungarn über einen riesigen Handelsüberschuss verfügen, wenn Humorexport in Rechnung gestellt würde. Hollywood, die ganze Filmindustrie, ist eine Erfindung einer Hand voll ungarischer Emigranten, darunter Vilmos Fox, der die «Nickel-Odeon»-Automaten erfand, Adolph Zukor, der Gründer der Paramount-Studios, und die Regisseure Michael Curtiz («Casablanca»), George Cukor («My Fair Lady») und Alexander Korda («Heinrich VIII.»).

Die Ungarn dominierten die amerikanische und britische Filmindustrie so lange, dass in einem der großen Hollywoodstudios das Schild gehangen haben soll: «Hier genügt es nicht, ein Ungar zu sein, um einen Job zu bekommen!» In Kordas Film «Scarlet Pimpernel» von 1934 spielt Leslie Howard den englischen Aristokraten Sir Percy und wurde so zum Prototyp des Upperclass-Engländers, obwohl er ursprünglich László Steiner hieß und aus Budapest kam. Die Romanvorlage zu «Scarlet Pimpernel» stammt aus der Feder der ungarischen Baronin Orczy, das Drehbuch schrieb Lajos Biró, die Musik Miklós Rózsa, und der Rest der Filmcrew bestand ebenfalls, von wenigen Ausnahmen abgesehen, aus Ungarn. Alexander Korda war übrigens berühmt dafür, verarmten Landsleuten und befreundeten Schauspielern, die der Erfolg verließ, jahrzehntelang finanziell zu unterstützen. Die Liste der Freunde, denen er geholfen hat, ist länger als seine Filmographie, die immerhin über fünfzig Titel umfasst. Damit verkörperte Korda jenen Gönnertypus, den man bis heute fast nur in Ungarn findet und für den an Torheit grenzende Großzügigkeit zu einem ehrenvollen Lebensstil gehört.

Neben der Versessenheit der Ungarn auf Unterhaltung, ihrer Schwäche für Witz, ihrer schon hasardeurhaften Spielfreude scheint vor allem eine Zutat das «ungarische

Geheimnis» auszumachen: Gerade in vermeintlich ausweglosen Situationen ist es für einen Ungarn wichtig, seine
Haltung und seinen Humor nicht zu verlieren.

Zwischen 1848 und 1849 sah es für eine Weile so aus, als
ob Ungarn von Österreich unabhängig werden könnte.
Doch Wien rief den russischen Zaren zu Hilfe, und das
Aufbegehren der Ungarn wurde auf für damalige Zeiten
ungewöhnlich brutale Art und Weise niedergeschlagen. Als
sei bereits das grausame zwanzigste Jahrhundert angebro-
chen, ließ sich Ministerpräsident Schwarzenberg vom erst
neunzehn Jahre alten Kaiser Franz Josef die Erlaubnis er-
teilen, nahezu alle ungarischen Offiziere hinzurichten,
vom Stabsoffizier aufwärts. In ganz Europa sorgte diese
Maßnahme für Entsetzen und heizte die revolutionäre
Stimmung an. Die Offiziere, die bezeichnenderweise ohne
mit der Wimper zu zucken und ohne um Gnade zu bitten
vor ihre Henker traten, wurden in Ungarn zu Nationalhel-
den. Nur der Anführer des Aufstandes, Lajos Kossuth, floh
in die Türkei, als Kammerdiener eines polnischen Grafen
verkleidet.

Der nächste schwere Schlag für die ungarische Nation
war der Vertrag von Versailles nach Ende des Ersten Weltkriegs. Das Land wurde auf ein Areal reduziert, das im Vergleich zur Ausbreitung des historischen Ungarn eher dem
Großraum Budapest entsprach. Über drei Millionen Ungarn lebten nun unter fremder Hoheit, wirtschaftlich war
das Land ruiniert. Als Regierung und Parlament das Ver-
sailler Diktat am 4. Juni 1920 unterzeichnen mussten,
wehten schwarze Fahnen von den Gebäuden, und die Zeitungen erschienen mit einem Trauerrand. Der dritte Schlag
war das Scheitern des Aufstands gegen die sowjetische
Oberherrschaft. Für berauschende 150 Stunden war Ungarn im Herbst 1956 ein freies Land. Es muss eine irreale

Aufbruchstimmung geherrscht haben; der kommunistische Ministerpräsident Nagy zog mit seinem Büro am 29. Oktober demonstrativ aus der Parteizentrale aus und unter dem Jubel der Bevölkerung ins Parlament ein. An einem kalten Novembermorgen, sonntags um vier Uhr früh, begann der Generalangriff der Sowjetarmee. Tausende Ungarn starben im Straßenkampf gegen die übermächtigen Rotarmisten.

Nach der Wiederherstellung der «Ordnung» versprachen die Sowjets Nagy freies Geleit, woran dieser mit bewundernswerter Naivität glaubte – nach seiner Festnahme wurde er natürlich hingerichtet, so wie 229 weitere Revolutionäre. Ungarn und Russen konnten nach dem Nackenschlag von 1848 und dem Blutbad von 1956 nie ein brüderliches Verhältnis entwickeln. Dass das Land 1989 die Chance bekommen sollte, das sowjetische Weltreich zu zerstören, beweist, dass Geschichte der Ironie fähig ist: Es war die Grenzöffnung Ungarns, gegen den ausdrücklichen Wunsch der DDR und Moskaus, die den Zusammenbruch des Ostblocks und der Sowjetunion nach sich zog. Heute ist Ungarn das wirtschaftlich und politisch erfolgreichste Land des ehemaligen Ostblocks.

Die Geschichte Ungarns zeigt, dass Niederlagen auch Siege bedeuten können. Die Sieger stellen sich auf lange Sicht oft als Verlierer heraus, und den Verlierern kann es niemand nehmen, eine gute Figur beim Verlieren zu machen.

Als Beispiel für diese den Ungarn vertraute Haltung möchte ich einen meiner Vorfahren, meinen Ururgroßvater Stephan Graf Széchenyi, anführen. Er pflegte eine Uneigennützigkeit, die an Verrücktheit grenzte, denn er glaubte daran, dass man Dinge weggeben sollte, bevor sie einem genommen werden. Als Ökonom und Politiker jedoch propagierte er die Sparsamkeit. «Wenn du 300 Schafe hast, wirtschafte, als hättest du nur 30», lautete einer seiner Lehrsätze. Er war Ungarns bislang progressivster Wirtschafts- und Sozialreformer und brachte Ungarn auf den Weg, der es zu einem modernen, selbstbewussten Land werden ließ. Vor der von ihm eingeleiteten «Reformära» war es ein feudales, mittelalterlich-byzantinisches Reich, dessen Oberklasse das Vermögen, das Leibeigene auf den Ländereien erwirtschafteten, in Wien beim Pferderennen ausgab. Der Reichtum mancher ungarischer Fürsten war so groß, dass er bereits orientalische Züge annahm. Nur eine dünne Schicht besaß ein Stimmrecht und lenkte die Geschicke des Landes. Landbesitzer waren geschützt, da ein sechshundert Jahre altes Gesetz verbot, Grund und Boden zu verpfänden.

Széchenyi bereitete den Privilegien seines eigenen, adligen Standes ein Ende. Um mit gutem Beispiel voranzugehen, stellte er das gesamte Jahreseinkommen seiner knapp 50 000 Hektar großen Güter zur Finanzierung einer Akademie der Wissenschaften zur Verfügung. Er beschnitt die Steuerfreiheit des Adels, baute Häfen an der Donau, regulierte die Theiß und ließ die erste ständige Verbindung zwischen Buda und Pest, die Kettenbrücke, bauen. Seine höhnische Kritik an der Selbstzufriedenheit der ungarischen Führungsschicht und seine riskanten Vorschläge riefen heftigen Widerspruch hervor. Auf dem Land taten sich die Kleinadeligen zusammen und verbrannten seine Bücher.

Neben seinem politischen Rivalen Lajos Kossuth und dem Dichter Petőfi war Széchenyi die zentrale Figur für das Erwachen des ungarischen Nationalbewusstseins. Doch seine Vision war der evolutionäre Aufstieg Ungarns innerhalb der Donaumonarchie, nicht die Abspaltung durch die Revolution. Die Revolutionäre ließen ihn links liegen und suchten die bewaffnete Konfrontation mit Österreich. Széchenyi zog sich aus der Politik zurück und übersiedelte aus seinem Schloss in Nagycenk in ein «Narrenhaus», wie er selbst sagte. In seinen oft witzigen und vor Galgenhumor sprühenden Aufzeichnungen steht der lakonische Satz: «Man muß in der Welt Hammer seyn, oder Amboß. Ich bin das letztere ...»

Mein Ururgroßvater hat, wenn man seine Tagebucheintragungen liest, die er im «Narrenhaus» verfasste, nie aufgehört, sein politisches Scheitern als moralischen Sieg zu empfinden. Erst nach seinem Tod sah dies auch die Geschichtsschreibung so. Er wurde ein Nationalheld mit geradezu mythologischer Bedeutung für Ungarn, ein Status, den der Mann, der ihn politisch besiegt hatte, Lajos Kossuth, nie erreichte.

Der Engländer (an sich und im Speziellen)

Den Ungarn am ehesten wesensverwandt sind die Engländer. Ähnlich den Ungarn sehen Engländer ihr Land als Zentrum der Welt. Sie halten alle Menschen, die nicht von ihrer Insel stammen, ohne das böse zu meinen, für Wilde und Halbwilde, mit denen man möglichst freundlich umgehen sollte und die man gegebenenfalls erziehen und sogar ein wenig unterdrücken kann. Sie tun dies ohne Überheblichkeit – man nimmt die vergangene Größe und die daraus resultierende Fallhöhe einfach hin.

Die Abhandlungen über Großbritanniens Abstieg von der Supermacht zum Sozialfall füllen ganze Bibliotheken, noch nicht hinreichend untersucht ist allerdings, warum das dem Selbstbewusstsein der Engländer nichts anhaben konnte. Liegt es daran, dass sie, ähnlich den Ungarn,

Spielernaturen sind? Wer spielt, muss auch verlieren können und warten, bis man wieder an der Reihe ist. Es gibt einen ungarischen Witz, der die Weltsicht des Ungarn – und des Engländers – auf den Punkt bringt: Ein Ungar will einen Globus kaufen. Der Verkäufer zeigt ihm einen. «Aber wo ist Ungarn denn?», will der Ungar wissen. Der Verkäufer sucht das kleine Land und deutet mit dem Nagel des kleinen Fingers darauf. «Dann möcht ich bitte einen, auf dem nur Ungarn ist.»

Der Abstieg Englands kündigte sich schon in der zweiten Hälfte des 19. Jahrhunderts an, etwa von 1900 an ging es mit dem bis dahin mächtigsten und reichsten Land der Welt dann endgültig bergab, und zwar ohne dass die Engländer selbst viel davon mitbekommen hätten. Ihr ausgeprägtes Selbstbewusstsein erlaubte es ihnen, unter Anwendung geschickter Autosuggestion über ihre Situation hinwegzusehen. Exemplarisch dafür ist der wirtschaftliche Niedergang der englischen Upperclass. Laut Geschichtsbüchern begann er mit dem Großen Reformgesetz von 1832, das ihre politische Vorherrschaft beendete. Gut fünfzig Jahre später setzte der ökonomische Ruin ein, als in ganz Europa die Agrarwirtschaft in eine tiefe Krise geriet, teils, weil die Industrialisierung das bäuerliche Gewerbe an den Rand drängte, teils, weil immer mehr landwirtschaftliche Produkte aus aller Herren Länder billig importiert wurden. 1894 wurde in England ein Erbschaftssteuerrecht verabschiedet, das jede Generation aufs Neue zwang, den Tod des Familienoberhaupts mit dem Verkauf von Substanzbesitz zu bezahlen. Wer danach noch Geld hatte, verlor es in der Weltwirtschaftskrise 1929, und als 1946 Indien in die Unabhängigkeit entlassen wurde, brach auch die letzte Möglichkeit, an Pfründe zu kommen, weg.

Interessanterweise standen gerade jene Herren und Damen der ehemaligen Oberklasse, die sich am wenigsten von den neuen Umständen beeindrucken ließen, auf lange Sicht – auch finanziell – am besten da. Die Familien, die in der Krise um die Jahrhundertwende als Erste die Nerven verloren, verkauften ihren Landbesitz weit unter Wert, und so mancher Rubens und Van Dyck wechselte damals für ein paar hundert Pfund den Besitzer. Die, die es sich nicht anmerken ließen, dass es in ihre Landhäuser hineinregnete, denen es gelungen war, bis zur Wirtschaftswunderzeit des zwanzigsten Jahrhunderts einen Teil ihres Vermögens zu retten, konnten sich durch den allgemeinen Aufschwung, der sich in höheren Grundstückspreisen, aber vor allem auch auf den Kunstmarkt auswirkte, sanieren. Der Earl of Derby hatte zwanzig Jahre hartnäckig der Versuchung widerstanden, Rembrandts «Fest des Belsazar» zu verkaufen. Erst 1964 war er dazu bereit und konnte 170 000 Pfund verlangen, was etwa dem heutigen Wert von 500 000 Euro entspricht. Der Duke of Devonshire wartete bis in die siebziger Jahre hinein. Dann erhielt er für seinen Rembrandt einen Rekordpreis und entschädigte sich damit für jahrzehntelanges Ausharren.

Zu diesem Zeitpunkt hatten die Familien, die zu schnell in Panik geraten waren, nichts mehr zu verkaufen und rutschten ins Berufsleben ab. Englische Aristos arbeiteten nicht nur für Banken oder Auktionshäuser, sondern verdienten zum Beispiel als Busfahrer ihr Geld wie Lord Teviot. Viscount Boyle und Lord Blackford kellnerten, wenn sie nicht gerade im House of Lords über Gesetze abstimmten, Baroness Sharples führte einen Pub auf dem Land und Lady Diana Spencer wurde Kindergärtnerin.

Die Bus fahrenden und Bier zapfenden Abkömmlinge großer Adelsgeschlechter wurden berühmt dafür, ihre bürgerliche und proletarische Arbeit mit spielerischem Enthusiasmus zu tun. Offenbar störte es sie nicht, dass sie wenig verdienten, vielleicht weil sie zu einer gesunden Verachtung des Geldes erzogen worden waren. Je mehr Erfahrung eine Familie auf dem Gebiet der Verarmung sammeln konnte, je besser sie gelernt hatte, sich in Zeiten der Dürre zu ducken, desto besser fanden sich die Nachkommen zurecht, wenn es wirklich knapp wurde. Eine Familie wie die des Königs Faruk von Ägypten, die weder an Macht noch an deren Verlust gewöhnt war, konnte ihre Absetzung nicht verkraften. Faruk verspielte den letzten, im Ausland geparkten Rest seines Vermögens am Roulettetisch, seine Schwester, Prinzessin Fathia, ging nach Amerika, jobbte widerwillig als Putzfrau und heiratete schließlich einen Angestellten, der sie später in einem Motel in Los Angeles erschoss.

Ein Lord Kingsale hingegen, dessen Ahnen die Geschichte Irlands über Jahrhunderte prägten, weiß sich mit seiner Situation zu arrangieren. Seine Familie galt bereits zu Cromwells Zeiten als verarmt, daher hat er kein Problem damit, dass seine Jacken Löcher haben. Kingsale behauptet, Heinrich VII. «mit seinen blöden Kriegen» sei an der Verarmung seiner Familie schuld gewesen. Heute lebt er in einem kleinen Cottage in dem Dorf, das seinen Vorfahren einst gehörte, als allseits beliebter älterer Herr, den man respektvoll mit «Sir» anspricht. Und wenn im Pub der Abfluss verstopft ist, ruft sein Besitzer den Sir an, weil der sich für handwerkliche Dienste gerne mit Freibier entlohnen lässt. Bis auf seine Schuhe würde man alles, was Lord Kingsale trägt, bei der Altkleidersammlung aussortieren. Seine einzige gepflegte Jacke holt er raus, wenn er in die Stadt zu einem Abendessen oder einem Fest geladen ist. Einmal wurde er gefragt, ob es für ihn ein Vorteil sei, ein Lord zu sein, wenn auch ein verarmter. Er antwortete mit der Selbstironie, deren nur Briten fähig sind: «Ja, durchaus. Wenn ich bei einem Dinner plötzlich sehr laut furze, halten das alle für exzentrisch und sogar ein wenig amüsant. Täte irgendjemand anderer das, würden die Leute sagen, das sei abstoßend und vulgär.»

Die meisten verarmten englischen Snobs, die ich kenne, leisten sich übrigens hartnäckig jemanden, der ihnen im Haushalt hilft, selbst wenn sie weniger Geld verdienen als ihre Putzfrau. Diejenigen, für die auch das nicht mehr erschwinglich ist, beschließen einfach, den Zustand ihrer Wohnung so gut es geht zu ignorieren und so zu tun, als sei aufgeräumt. Wer sie besucht, muss darauf gefasst sein, dass bei ihnen zentimeterdick der Staub liegt und sich in der Küche das Geschirr von Generationen stapelt.

Es gibt allerdings verarmte englische Gents, die sich einen Spaß daraus machen, einmal in der Woche ihre Wohnung auf Vordermann zu bringen. Sie krempeln die Ärmel hoch, ziehen sich Plastikhandschuhe an und spielen das Hauspersonal-Spiel, bei dem es darum geht, möglichst überzeugend in die Rollen seiner eigenen, imaginären Dienerschaft zu schlüpfen.

Ein Freund von mir ist ein Meister darin. Der Zusammenbruch des Versicherers Lloyd's fraß sein letztes Erspartes, dann verließ ihn auch noch seine Frau, um mit einem schwerreichen Markgrafen auf dessen Landsitz zu ziehen. Eines Tages beschloss mein Freund, das Schicksal zu überlisten und sein eigener Diener zu werden. Er putzt sich selbst die Schuhe bis zur Perfektion, und wenn er Zigaretten braucht, schickt er sich zum Tabakladen an der Ecke. Sein Briefpapier stammt von Smythson's, seine winzige Wohnung ist stets perfekt aufgeräumt und seine Kleidung makellos, obwohl sie älter ist als er selbst. Auf seinem Schreibtisch, einem Erbstück, stapeln sich Mahnungen von

British Gas, in denen man ihm droht, die Heizung abzu-stellen. Zuweilen kann man ihn telefonisch nicht errei-chen, wenn seine Telefonleitung gerade mal gesperrt ist. Abgesehen von solchen banalen Kalamitäten bewahrt er stets den Habitus eines wohlhabenden Abkömmlings der Oberklasse. Sein Lebensstil unterscheidet sich in keinster Weise von seinem früheren. Nur dass eben jetzt seine Cash-Card nicht mehr funktioniert. Doch denen gegen-über, deren Cash-Card noch funktioniert, wirkt er in ge-wisser Weise sogar überlegen.

Einer der Vorzüge des britischen Gesellschaftsmodells besteht vielleicht darin, dass zwar ein Klassensystem exis-tiert, die Schranken zwischen den einzelnen Klassen aber durchlässig sind und nicht allein durch Geld überwunden werden können. Die wichtigsten Unterschiede sind Beneh-men und Sprache, und beides kann anerzogen sein. Margaret Thatcher sprach in ihrer Jugend anders als später, nachdem sie in der Konservativen Partei aufgestiegen war. Jeder aus der Arbeiterklasse kann sich durch die Annahme eines bürgerlichen Lebensstils, indem er zum Beispiel statt in die Spielhalle zum Trabrennen geht, der Mittelklasse an-schließen, und jeder, der in der Mittelklasse etabliert ist, kann eines Tages die Lebensformen, die Sprache, das Be-nehmen der Oberklasse annehmen und etwa statt zum Trabrennen zum Galopprennen gehen. Anders gesagt: Die Engländer sind ein Herrenvolk; sie sind Herren, nicht im deutschen Sinn, in dem «Herr sein» immer mit «andere be-herrschen» einhergeht, sondern in dem jedem Ungarn und jedem Briten geläufigen Sinne des «sich Beherr-schens», des «Herr seiner Welt» sein, und sei es einer phan-tasierten.

Ungarn und Engländer sind nicht aus Überheblichkeit stolz auf ihre Nationalität, sondern hauptsächlich um in bitteren Momenten wenigstens das Gefühl haben zu können, Teil von etwas Besonderem zu sein. Mein Freund Kevin, mit dem ich in London lange Zeit eine Wohnung teilte, hielt eines Nachts vor meinen Augen einen Lebensmüden davon ab, von der Battersea-Bridge zu springen. Das Argument, das den Mann überzeugte, nicht zu springen, war: «You can be proud to be British!» Wenn man einem Deutschen in einer ähnlichen Situation sagte: «Du kannst doch stolz darauf sein, …», würde der springen, bevor man den Satz zu Ende gesprochen hätte. Vermutlich ist es vor allem das, was die Engländer auszeichnet: ein «self-esteem», eine Selbstachtung, die ihnen selbst in widrigen Situationen erlaubt, aufrecht zu gehen.

Es gibt einen Mann, der wie kein Zweiter die Überlegenheit des britischen Gesellschaftsmodells personifizierte: Charles Benson. Er kam aus kleinsten Verhältnissen und war dennoch unverzichtbarer Bestandteil der Londoner Gesellschaft. Offiziell war Benson Galopprennsport-Korrespondent des «Daily Express», in den Büros der Zeitung wurde er allerdings nie gesehen, weil er entweder in Ascot und Epsom an der Rennbahn stand oder seiner eigentlichen Hauptbeschäftigung nachging: dem Hofhalten in den Salons seiner schwerreichen Freunde. Zum engsten Kreis um Benson gehörten der Aga Khan, der Pferdezucht-Tycoon Robert Sangster, der Milliardär Jimmy Goldsmith, der griechische Tennisspieler Taki Theodorakopoulos und der Rennfahrer Graham Hill.

Nach Bensons Tod schrieb Taki in seiner Kolumne im «Spectator»: «Charles konnte keinen Tag vom Glücksspiel lassen, er war ständig völlig pleite, aber keiner von uns führte ein wohlhabenderes Leben als er. Er hat mich in die englischen Gewohnheiten eingeführt (Pferderennen,

Weekends in großen Landhäusern und Spielkasinos), dafür machte ich ihn mit den kontinentalen Sitten vertraut (Bordellbesuche, Yachtturns im Mittelmeer, noch mehr Spielkasinos).» Benson war einer dieser Menschen, die wie ein Magnet auf andere wirkten. Der Kasinobesitzer John Aspinall subventionierte Bensons Spielsucht nach Kräften, nicht nur, weil er seine Gegenwart schätzte, sondern weil Benson weitere «big rolers» anzog, die ihm die Stufen vom Nachtclub «Annabel's» hinauf in Aspinalls Kasino folgten.

Bensons Kapital war sein Witz. Er konnte weder mit Herkunft prahlen, noch hatte er Geld, aber seine Rolle war die eines der Anführer der Londoner Gesellschaft. Drei Reisen gehörten zum Jahresrhythmus des Charles Benson: nach den Weihnachtstagen ein längerer Aufenthalt bei Robert Sangster auf Barbados, um den scheußlichen Londoner Januar auszusitzen; im Sommer ein paar Wochen auf der Yacht des Aga Khan, an dessen Achterdeck er wie angeschraubt saß und rund um die Uhr – mit einem an seiner rechten Hand festgewachsenen Champagnerglas – für Unterhaltung sorgte; und, nach der englischen Rennsaison, eine Reise mit Sangster zum Höhepunkt des australischen Galopprennkalenders, dem Melbourne Cup. Zwischen diesen ritualisierten Aufenthalten fanden sich immer ältere, schwerreiche Damen, die seine Gesellschaft so schätzten, dass sie ihm Aufenthalte in Florida oder auf den Bahamas ermöglichten, wenn er nur jeden Abend zur Cocktailstunde den Hausgästen als Amüsierfeuerwerk zur Verfügung stünde. Obwohl er in seinem Leben vermutlich nie einen Penny für ein Flugticket bezahlt hat, flog Charles Benson grundsätzlich erster Klasse, was ihm in Anlehnung an seine bevorzugte Sitzplatznummer den Spitznamen «1A» einbrachte.

Das Geheimnis des britischen Gesellschaftsmodells liegt wahrscheinlich darin, dass niemand von vornherein ausgeschlossen ist, jeder «Lady» oder «Gentleman» werden kann. Vielleicht ist es gerade die Durchlässigkeit der britischen Klassengesellschaft, die es für alle Betroffenen wünschenswert macht, dass zwischen den Klassen Unterschiede gepflegt werden. Wer ein Herr sein will, muss sich nur wie einer benehmen. It's as simple as that.

Meine russischen Verwandten

Heute sind die ehemaligen Treffpunkte der einstigen High Society endgültig unmöglich geworden, weil sie von neureichen Russen okkupiert wurden. Nicht einmal der geschmackloseste Reiche kann sich noch guten Gewissens in einem Ort wie St. Moritz zeigen. Ja, Reichtum als solcher gilt inzwischen als vulgär, und die Hauptverantwortlichen dafür sind die neureichen Russen. Sie haben die Grenzen der Geschmacklosigkeit, wo sie auch hinkamen, in neue Dimensionen gerückt. Von einem der Oligarchen gibt es ein berühmtes Foto, das den Multimilliardär zeigt, wie er in Badelatschen und Jogginghose in seinem vergoldeten Palast steht. Schon dieses Bild rechtfertigt es, dass er von russischen Elitetrupps aus seinem Privatjet gezerrt und vor Gericht gestellt wurde. Ein vor Putin nach London geflüchteter Oligarch hat am Eaton Place ein Haus gekauft und so – worin sich alle Stilfachleute Londons einig sind – dafür gesorgt, dass Notting Hill als schlimmstmöglicher Ort abgelöst wurde, an dem man sich blicken lassen kann.

Der Export der reichen Russen in den letzten Jahren hat eine verheerende Wirkung auf den Stil in Europa gehabt. Die armen Russen hingegen, die nach der Revolution von

1917 fliehen mussten, haben Westeuropa damals bereichert. Die Boheme im Paris der zwanziger Jahre blühte vor
allem wegen des Zustroms origineller Russen auf. Zu dieser Zeit verbarg sich hinter manchem Taxilenkrad und hinter manchem Kellnerfrack ein exilierter und verarmter
Fürst. Die aus Russland geflüchteten Aristokraten waren
begehrte Hausangestellte, weil sie, dank ihrer jahrelangen
Erfahrung, wie man bedient wird, als hervorragende Butler oder Chauffeure galten. Viele russische Exilanten fielen
aus einem Wolkenkuckucksheim voller Überfluss und Privilegien als Flüchtlinge im Westen ins Nichts – und blüh-
ten hier erst auf, wie ein mir noch aus der Kindheit bekannter entfernter Onkel, der Diener in Paris geworden war und
dort nach eigener Aussage ein viel spannenderes Leben
hatte, als er es in St. Petersburg je hätte führen können.

Ein strahlendes Beispiel ist auch der schon erwähnte
Vladimir Nabokov, der Patriziersohn, der in der Emigra-
tion in Berlin teilweise im Badezimmer schreiben musste,
weil seine Wohnung so klein war, dass der Schlafraum keinen Platz fürs Schreiben bot. Doch obwohl er in diesen Tagen manchmal nicht wusste, woher er die nächste warme
Mahlzeit bekommen sollte, zeugen seine Gedichte, Erzählungen und Romanentwürfe von einem unbändigen
Glücksgefühl. «Wenn ich durch die Straßen, über die
Plätze, den Kanal entlang bummele», schrieb er damals,
«fühle ich zerstreut die Lippe der Feuchtigkeit durch die
löchrigen Sohlen – und trage mit Stolz mein unerklärliches
Glück.» Er plante sogar, einen praktischen Leitfaden mit
dem Titel «Wie man glücklich wird» zu schreiben.

Nachdem Nabokov durch seinen Roman «Lolita» zu
Geld gekommen war, seufzte er zwar darüber, dass sein Erfolg so lange auf sich habe warten lassen, aber er bestand
darauf, dass er sich auch in den Zeiten echter Not um Ma-

terielles kaum gekümmert habe. Schon in seinen frühesten Schriften sprach er verächtlich über jene russischen Exilanten, die ihren Besitztümern nachweinten.

Natürlich gab es solche Fälle, doch in der Mehrzahl vollzogen die geflüchteten Aristokraten ihren Abstieg mit solcher Anmut, dass sie zu ewigen Vorbildern der Würde wurden. Die Großfürstin Xenia etwa, die Schwester des russischen Zaren Nikolaus II., lebte in einem kleinen Häuschen im Windsor Park, das ihr Vetter George, der König, und Queen Mary ihr zur Verfügung gestellt hatten. Sie galt als schüchtern, anspruchslos und soll es sich verbeten haben, dass Angestellte ihr die Hand küssten, wie es in Russland üblich war. Manchmal lud Queen Mary sie zum Tee. Bei einer solchen Gelegenheit zeigte die Queen ihr eine Fabergé-Dose, die sie gerade gekauft hatte. Ob sie wisse, was das Initial «K» auf der Dose zu bedeuten habe. Natürlich wusste sie es: Ihr Vorname beginnt im Russischen mit einem «K»; ihr Mann hatte ihr die Dose zur Geburt des ersten Kindes geschenkt. Doch die Großfürstin ließ sich nichts anmerken, sagte, das «K» stünde wahrscheinlich für «Kristof», und wäre lieber in Grund und Boden versunken, als der Königin die Herkunft der Dose zu verraten, allein schon, weil das die Königin in die Verlegenheit gebracht hätte, sie ihr zu überlassen. Und es ist sehr unhöflich, eine Königin in Verlegenheit zu bringen.

Meine Großmutter mütterlicherseits, Fürstin Maya Galitzin, und ihre Schwestern kannten die Großfürstin Xenia noch gut, und sie standen ihr in der Fähigkeit, mit Verlust umzugehen, in nichts nach. Sie wuchsen unweit von St. Petersburg auf Schloss Marino auf, das ihre Urgroßmutter Sophie Stroganoff Anfang des 19. Jahrhunderts hatte erbauen lassen. Im Winter residierten die Galitzins im nahen Nowgorod. In ihrer Abwesenheit kümmerte ein alter Mann sich um Marino. Seine Hauptaufgabe bestand darin, das Haus zu heizen, damit es während des strengen Winters keinen Schaden nähme. Die Gutsverwalter warnten meinen Urgroßvater, Paul Galitzin, jedes Jahr aufs Neue, dass der alte Mann immer vergesslicher werde und die Verantwortung nicht mehr tragen könne. Doch Paul Galitzin brachte es nicht übers Herz, ihn zu kränken, also entzog er ihm die Aufgabe nicht. Und eines Tages geschah, was geschehen musste: Das Schloss brannte ab. Einer der Schornsteine war verstopft, Funken aus dem Kamin hatten das Feuer ausgelöst. Marino wurde nur notdürftig wiederaufgebaut.

Hier wird der Leser sagen: schön blöd. Und: selber schuld. Aber diese Art von Torheit war typisch für den Mann, und es sollte sich noch zeigen, dass sie überaus positive Seiten hatte.

Lange waren mein Urgroßvater und meine Urgroßmutter, Alexandra Mestschersky, ohne Kinder geblieben. Als dann endlich Aglaida, die älteste Schwester meiner Großmutter, geboren wurde, ließ er aus Dankbarkeit in «seinem Dorf» ein kleines Hospital errichten; drei Krankenschwestern wurden angestellt, ein Arzt kam jede Woche zur Visite – für eine ländliche Gegend wie diese war das eine Sensation. Bis dahin waren alle, die einen Arzt brauchten, zu meinem Urgroßvater gekommen. Meist versorgte er sie selbst, so gut er konnte, und wenn es wirklich ernst war, ließ er die Kutsche anspannen und brachte den Kranken in die Stadt.

Als es in Russland zu Beginn des Ersten Weltkriegs zu brodeln begann, war es die leitende Krankenschwester seines kleinen Krankenhauses, die – ziemlich erfolglos – gegen meine Familie agitierte. Sie stammte aus Petersburg, von wo mein Urgroßvater selbst sie angeheuert hatte. Anhänger hatten die Bolschewisten nur in den Städten, auf dem Lande waren sie verhasst. Die ersten Unruhen wurden sofort und gnadenlos niedergeschlagen, die Anführer verhaftet und gehängt. Besagte Krankenschwester flüchtete sich zu meinem Urgroßvater, fiel vor ihm zu Boden und bettelte um Gnade – wenige Wochen zuvor hatte sie ihm ins Gesicht gesagt, wie sehr sie den Tag herbeisehne, an dem man seine ganze Familie aufhängen werde. Jeder Menschenkenner hätte die Frau auf der Stelle ausgeliefert. Nicht so Paul Galitzin: Er drückte ihr etwas Geld in die Hand und begleitete sie in seiner Kutsche bis zum Bahnhof, wo sie einen Zug bestieg und sich nie wieder blicken ließ.

Mein Urgroßvater musste die Revolution, den Untergang seiner Welt, nicht mehr miterleben. Er starb würdevoll, schmerzlos und gut vorbereitet im Jahr des Kriegsausbruchs. Der Sarg mit seinem Leichnam wurde von den Männern des Dorfes die fünfzehn Kilometer bis nach Marino getragen, wo er in seinem geliebten Park begraben wurde.

Zeit seines Lebens hatte mein Urgroßvater einen Hang zu geradezu törichter Großzügigkeit. Nun lautet ein Vorurteil, für Menschen, die an eine Belohnung im Jenseits glauben, sei so etwas ja gut und schön, im irdischen Leben aber ziemlich dämlich. Doch erstens gibt es wenig Würdigeres als eine Portion rechtschaffene Torheit, und zweitens sollte sich das Verhalten des Paul Galitzin schon im Diesseits auszahlen: Seine Frau und seine Kinder überlebten allesamt die Revolution. Sie schafften es, sich in den Kaukasus abzusetzen, und flüchteten von dort nach Konstantinopel. Eine der Schwestern landete schließlich in London, die andere in New York, meine Großmutter in Budapest, wo sie den Grafen Balint Széchenyi heiratete, und

Tante Aga, an die ich mich noch gut erinnere, in Salzburg. Ich sehe sie vor mir, wie sie in ihrer winzigen Einzimmerwohnung sitzt, in etwas angeeckten alten Tassen Tee serviert und über das Leben erzählt. Der Raum war bis auf den letzten Zentimeter mit Kram ausgefüllt, Briefen, Fotos in Bilderrahmen, Büchern. Aber dank ihrer Präsenz wirkte er wie der Salon eines Lustschlosses. Sie strahlte eine Erhabenheit aus, die nur Menschen erreichen, die einmal alles verloren haben und darüber stehen, als sei es nichts.

Es stellte sich heraus, dass mein Urgroßvater doch ein gescheiter Mann war, vielleicht sogar im Sinne unserer Nützlichkeitsethik, denn er immunisierte sich und die Seinen gegen allzu große Anhänglichkeit an materielle Dinge. Tante Agas Sein war, um mit Erich Fromm zu sprechen, völlig unabhängig vom Haben geworden. Sie hatte einen Reichtum erlangt, der habgierigen Menschen nie zuteil werden kann.

Teil II

Eines der wunderbarsten Dinge, die wir von den Helden der Armut lernen können, ist ein nicht gar so buchhalterischer Umgang mit Erfolg und Misserfolg. Menschen, die selbst in misslichen Situationen eine aufrechte Haltung bewahren, besitzen vor allem eine Eigenart: Sie bleiben auch in Krisen die Agierenden. Sie verfügen über eine Würde, die von äußeren Umständen unabhängig ist, und sie haben oft die Fähigkeit, das Scheitern als Chance zu betrachten.

Das Vertrackte am Glück ist, dass es einem manchmal in der täuschend echten Verkleidung des Unglücks begegnet, genauso wie das Unglück bisweilen in der verlockenden Maskierung des Glücks daherkommt. Es muss nicht immer so schnell gehen wie bei dem siebenunddreißig Jahre alten Koch aus Illinois, der wenige Tage nach seinem Lottogewinn von 3,6 Millionen Dollar eine Herzattacke erlitt, weil er mit dem Stress nicht zurechtkam. Oder wie bei «Lotto-Lothar», der vor ein paar Jahren in Deutschland Schlagzeilen machte. Der Arbeitslose hatte rund 3,9 Millionen Mark gewonnen, stieg von billigem No-Name-Dosenbier auf Markenpils um, kaufte einen Lamborghini und liebte fortan vor allem Alkohol, Partys und schöne

Frauen. Fünf Jahre nach seinem Millionengewinn war «Lotto-Lothar» tot. Das, was wir uns als Glück ausmalen, stellt sich nicht selten als dessen genaues Gegenteil heraus. Oscar Wilde brachte dies in einem schönen Satz auf den Punkt: «Wenn Gott die Menschen strafen will, erhört er ihre Gebete.»

Man kann sogar einen Schritt weiter gehen und im Misserfolg, so paradox es klingt, ein Erfolgsgeheimnis sehen. Wenn Vladimir Nabokov nicht verarmt im Exil gelandet wäre, wäre er als reicher Schmetterlingssammler und zweitklassiger Lyriker gestorben. Zum Glück für uns alle, aber wahrscheinlich auch zum Glück für ihn, verlor er alles. Nicht nur liegen großartige Triumphe und klagloses Scheitern oft erschreckend nah beieinander, manchmal ist der Verlust, das Scheitern, das so genannte Unglück sogar die eigentliche Voraussetzung für den sich später Bahn brechenden Triumph.

Wer irgendwelchen glatten Klischeevorstellungen von Glück hinterherläuft, macht sich garantiert unglücklich. Die echte Armut erwächst dem Menschen nicht durch seinen Mangel an irgendwelchen Dingen, sondern durch seinen Wunsch nach Perfektion, worin auch immer sie gesucht wird, ob in Gesundheit, Schönheit oder Reichtum. Wer das Leben mit seinen Unebenheiten schätzen lernt und es schafft, gerade in Krisensituationen eine gute Figur zu machen, dem gelingt eventuell so etwas wie glückliche Lebensführung.

Grob gesagt gibt es zwei Möglichkeiten, reich zu werden. Möglichkeit 1: Man arbeitet darauf hin, sich all die Wünsche erfüllen zu können, die man mit sich herumschleppt; in der Zwischenzeit rackert man sich ab und träumt von Dingen, die man sich nicht leisten kann, und hat man sie dann endlich, stellt man fest, dass sie nicht glücklich machen. Möglichkeit 2: Man modifiziert seine Wünsche.

Leser, die in den folgenden Kapiteln genaue Instruktionen erwarten, die man Schritt für Schritt umsetzen kann, um am Ende glücklich, reich und erfolgreich zu sein, muss ich enttäuschen. Es geht viel eher darum, zur Überprüfung all der Wünsche anzuregen, die uns von unserer Konsumindustrie als begehrenswert eingeredet werden, in Wirklichkeit jedoch lästig und geschmacklos sind. Wer solchen Wünschen treu bleibt, so viel sei schon jetzt verraten, wird sich nie reich fühlen. Reich wird hingegen der, dem es gelingt, sich von ihnen zu verabschieden.

Die erste Regel des stilvollen Verarmens verlangt daher: Prioritäten setzen! Zwei Wochen im Jahr für teures Geld zähe Spareribs in irgendeiner Bettenburg in Alicante in sich reinstopfen – oder nicht doch lieber Ferien in der Heimatstadt, mit Spaziergängen im Stadtpark und Ausflügen zu den nahen Seen? Zeitungsabos und monatliche Zahlungen an Anbieter überbordender, abstumpfender Fernsehprogramme – oder nicht doch lieber ein gutes Buch?

Wirklicher Luxus ist weder bei Hermès noch im KaDeWe und auch nicht beim Heile-Welt-Versandhaus Manufactum erhältlich. Er besteht vielmehr in der Selbstbehauptung gegen überflüssige Verlockungen, die unser Leben nicht verschönern, sondern lediglich vermüllen. Wer wirklich reich sein will, muss die Courage aufbringen, sich wenigstens einen Teil seiner Souveränität zurückzuerobern, und leistet sich zum Beispiel nur, was einem echtes Vergnügen verschafft, statt sich dem frustrierenden Rundumkonsum zu ergeben.

Man kann tatsächlich auch ohne Geld, oder wenigstens mit sehr wenig Geld, reich sein. Was gefragt ist, ist «Lifestyle». Lange Zeit war dieses Wort ein Kampfbegriff der Konsumgüterindustrie – künftig wird das Geheimnis zu einem besseren Leben ein souveräner Lebensstil sein.

«What's the use of money, if you have to work for it?»

GEORGE BERNARD SHAW

Geld oder Leben

Work less, live more!

Die ersten Wochen meiner neuen Existenz als Nicht-mehr-Angestellter waren ungewöhnlich. Ich meide das Wort «Arbeitsloser», denn zu Hause gab es genug zu tun. Meine Frau schaltete am schnellsten um und sah in mir nicht mehr den Journalisten, sondern die sehnlichst erwünschte deutschsprachige Haushaltshilfe. Die obligatorische WTSB-Frage («Was tun Sie beruflich?») beantwortete ich bei Partys allerdings gern mit der Angabe, ich sei arbeitslos, allein schon, um diese Frage zu bestrafen. Ich habe mir einmal die Mühe gemacht, nachzumessen, wie lange es in unterschiedlichen Milieus dauert, bis die WTSB-Frage fällt. Bei Menschen, die mit ihrer Hände Arbeit Geld verdienen, und Leuten mit guter Kinderstube vergehen manchmal mehrere Minuten, oder das Thema kommt gar nicht auf. Freiberufler, Rechtsanwälte und Ärzte brauchen ein bis zwei Minuten, Werber und Medienleute stellen die Frage spätestens nach dreißig Sekunden.

Die WTSB-Frage ist ebenso spießbürgerlich wie überholt; die Zeiten sind vorbei, da man Menschen über ihre Arbeit definieren konnte, schon, weil immer mehr von ihnen den Arbeitsplatz verlieren. Und auch, wer noch nicht gekündigt ist, tut gut daran, Arbeit nicht als einzige Möglichkeit zu sehen, Sinn in sein Leben zu bringen. Arbeit war ursprünglich als Strafe gedacht, für Evas Vermessenheit im Paradies: «Im Schweiße eures Angesichts sollt ihr ...» und so weiter. Dann wurde sie zur Notwendigkeit, durch Luther und Calvin zum sittlichen Gebot. Doch zum Lebensinhalt taugt sie am allerwenigsten, denn meist ist sie gleichbedeutend mit der Flucht vor dem eigentlichen Leben, vor dem man dann mit einem *horror vacui* steht, sollte die Arbeit mit all der Anerkennung, der Achtung und dem Status, die mit ihr einhergehen, einmal nicht mehr da sein.

Eine auch in der Wirtschaft lange gehegte Meinung war, dass das Privatleben vieler Workaholics zwar ein Trümmerfeld sein mag, sie dafür aber in ihrem Job Hochleistung bringen: Sie sind zu jeder Tages- und Nachtzeit ansprechbar für die Probleme der Firma, identifizieren sich völlig mit ihr und stecken ihre gesamte Kraft in sie. Diese Meinung ist längst überholt. An den wichtigsten Business-Schools der Welt, ob in Harvard oder bei der INSEAD, wird inzwischen gelehrt, dass ein solcher Mitarbeitertypus ein Kosten- und Produktivitätsrisiko für ein Unternehmen darstellt. Meist sind es tickende Zeitbomben, die irgendwann in ihren Leistungen stagnieren und womöglich kollabieren. Wer es bei der heute üblichen Rund-um-die-Uhr-Vernetztheit mit dem Arbeitsplatz – durch Mobiltelefone, BlackBerries und Laptops – nicht vermag, sich Rückzugsräume zu schaffen, in denen er Ruhe findet und regeneriert, wer nie die Gelegenheit hat, seine Möbel im Kopf neu zu ordnen und auf andere Gedanken zu kommen, betreibt Raubbau an seiner Gesundheit, seiner Geisteskraft und, aus betriebswirtschaftlicher Sicht, an seiner Produktivität. Außerdem belegen mehrere Studien aus den letzten Jahren, dass Menschen mit besonders ausgeprägtem

Ehrgeiz zu Unzufriedenheit, Schwermut bis hin zu krankhafter Depression neigen.

Eines der Hauptgesundheitsrisiken am Arbeitsplatz aber ist interessanterweise nicht einmal die Arbeit selbst, sondern die Furcht vor dem Verlust derselben. Es ist zum Beispiel nachgewiesen, dass in Betrieben, die über längere Zeiträume intensiv Kosten eingespart haben, die Ausfälle durch Krankheit rapide nach oben schnellen. Offenbar wirken sich Angst und Stress unmittelbar auf die Vitalität und das Immunsystem aus. Eine finnische Studie hat gezeigt, dass das Risiko eines Herzinfarktes für Beschäftigte in Betrieben, in denen wiederholt Personal abgebaut wurde, nach vier Jahren fünfmal so hoch ist wie vor der Kündigungswelle.

Immer mehr kommen die Wissenschaftler auch dahinter, was genau «Stress» ist, ein Wort, das bislang als eine Art Oberbegriff für geistig-körperliche Belastung dienen musste, ohne wirklich medizinisch eingegrenzt zu sein. «Stress» ist nicht einfach gleichbedeutend mit einer erhöhten Ausschüttung der «Stresshormone» Cortisol und Adrenalin, die unseren Vorfahren als körpereigene Alarmsysteme dienten. Das Problem ist eher, dass diese Hormone, wenn sie, statt schockartig freigesetzt zu werden, über lange Zeiträume in kleinen Dosen ausgeschüttet werden – zum Beispiel um mit Intensivarbeitsphasen, klingelnden Telefonen und chronischem Druck zurechtzukommen –, wie ein Gefahrenschalter wirken, der auf der Mittelposition festklemmt: Weder entspannt man, noch ist man bis aufs äußerste angespannt, man hängt in einer Zwischenphase; auf Dauer wirkt das zermürbend, ermüdend und frustrierend.

In Amerika geben immer mehr Unternehmen bereits Geld dafür aus, den Stress ihrer Angestellten «proaktiv», wie Jürgen Klinsmann sagen würde, zu bekämpfen. In vielen kalifornischen Firmen erheben sich die Mitarbeiter einmal am Tag gemeinsam, um Atem- und Meditations-übungen zu machen, die Teilnahme ist obligatorisch. In anderen kommen Nackenmasseure von Platz zu Platz und bieten ihre Dienste an. Zwar ist der entspannende Effekt einer Massage selbst am Organismus eines Hummers messbar, doch für die meisten Angestellten ist ein solcher Termin nichts als – ein weiterer Termin; die positiven Effekte halten selten lange vor.

Nur eine Therapie scheint wirksam zu sein, und sie lässt alle anderen Versuche, den Stress zu besiegen, wie Quacksalberei erscheinen: die kognitive. Man muss begreifen und notfalls von einem Therapeuten vermittelt bekommen, dass gewisse Lebenshaltungen, Gewohnheiten und eine gewisse Sicht der Arbeit hinterfragt werden müssen, um seine Vitalität, seine Unversehrtheit zu verteidigen. So muss man darüber nachdenken, ob es sinnvoll ist, sich ausschließlich über die Arbeit zu definieren, ob es wirklich glücklich macht, möglichst zu den Letzten zu gehören, die abends das Büro verlassen, weil man fleißiger erscheinen möchte als die anderen.

In den Zeitungsredaktionen kenne ich viele Vollblut-journalisten, die vollkommen in ihrer Arbeit aufgehen, die kein Privatleben brauchen, weil ihr Leben und ihre Passion die Zeitung ist. Doch bei genauerem Hinsehen entpuppen sich diese glücklich in ihren Job versunkenen Profis nicht selten als todtraurige Menschen, die nichts so sehr vermissen wie das eigentliche Leben, vor dem sie davonlaufen.

Einer meiner Freunde ist einer dieser Vollblutjournalisten. Als ich nach Berlin kam und bei einem Boulevardblatt anheuerte, war er dort der leitende Redakteur für vermischte Nachrichten. Ich sah ihn immer nur auf Hochtouren kettenrauchend das Blatt machen, und zwar so gut, dass er mit Ende zwanzig bereits Chef einer großen Tageszeitung wurde. Trotz seiner noch relativen Jugend hatte er einen der wichtigsten Posten der Stadt inne, Senatoren hofierten ihn, ältere Kollegen beneideten ihn. An einem Sommermorgen wachte er mit einer seltsamen Last auf seinem Oberkörper auf. Er sagt, es fühlte sich an wie eine schwere Granitplatte. Sein linker Arm stand vor Schmerz in Flammen: Herzinfarkt, im Alter von 33 Jahren.

Ein anderer Bekannter von mir machte gewissermaßen die spiegelverkehrte Erfahrung meiner eigenen, da er etwa um die Zeit, als ich entlassen wurde, als Partner in eine Anwaltskanzlei einstieg. Wie ich ist er verheiratet und hat zwei kleine Kinder. Inzwischen arbeitet er sechzehn statt lasche zwölf Stunden täglich, geht am Wochenende Akten durch und fliegt alle zwei bis drei Tage nach Frankfurt, wo er eine Zweitwohnung genommen hat, da sich dort die meisten seiner Mandanten befinden. Statt in München-Schwabing wohnte er mit seiner Familie, beziehungsweise seine Familie ohne ihn, jetzt südlich von München in einem schönen Häuschen mit Garten («wegen der Kleinen»). Seine Kinder wird er spätestens kennen lernen, wenn sie in der Pubertät sind, und seine Frau wird sich demnächst wundern, wenn er ihr zufällig einmal über den Weg läuft, dafür werden sie wenigstens nie Geldsorgen haben – vielleicht.

Geldsorgen sind, zugegeben, etwas ziemlich Lästiges, gerade wenn man Kinder hat. Aber wenn man sich durch diese Sorgen ein wenig des realen Lebens erkaufen kann, von dem man als Arbeitstier ausgeschlossen bleibt, hat das auch Vorzüge. In meinem persönlichen Fall kämpfe ich zwar zuweilen darum, die laufenden Kosten zu bestreiten, denn als «freier» Journalist muss ich mit – euphemistisch gesagt – schwankendem Einkommen meine Familie über Wasser halten, dafür sitze ich im Gegensatz zu früher nicht mehr in einem voll gequalmten, schlecht klimatisierten Büro mit Blick auf einen überdachten Innenhof. Wenn ich jetzt das Fenster öffne, kommt frische Luft herein. Für den Weg zum Arbeitsplatz, vom häuslichen Frühstückstisch an meinen Computer, brauche ich, je nach Verkehrslage, zwischen zehn und zwanzig Sekunden, während ich früher täglich insgesamt zwei Stunden im öffentlichen Personennahverkehr zubrachte. Nie hatte ich so viel Zeit, wirklich zu arbeiten, wie seit meiner Entlassung. In der Redaktion vergeudete ich manchmal Stunden mit letztlich sinnlosem Zeitunglesen, endlosen Gesprächen, Schwätzchen, Diskussionen mit Kollegen, dazu addiert die ausgedehnten ritualisierten Mittagspausen – endlich konnte ich mir all diese zeit- und nervtötenden Dinge sparen.

Noch immer besteht ein wesentlicher Teil meiner Arbeit aus Lesen. Dies tue ich aber wenigstens nicht mehr in einem stickigen Büro, sondern, falls das Wetter es erlaubt, auf dem Balkon. Natürlich hat es eine Weile gedauert, bis meine Frau eingesehen hat, dass nicht auf den ersten Blick zu erkennen ist, ob ich nun angestrengt nachdenke oder dösend in der Sonne sitze. Als sicheres Refugium bleibt mir immer noch mein Arbeitszimmer. Wenn die Tür zu ihm, wie jetzt, geschlossen ist – so lautet ein strenges Gebot in unserer Familie –, ist jede Kontaktaufnahme mit mir verboten. Dann haben die Kinder, meine Frau, der Postbote, der Gerichtsvollzieher und selbst der Bundeskanzler keinen Zutritt. Man muss solche Grenzen ziehen. Sonst kommt man zu nichts. (*«Nein, jetzt bitte nicht, Laetitia!»*) Wo war ich? Ich kenne einen erfolgreichen Anlageberater, ein ehemaliger Investmentbanker, der sich selbständig gemacht hat und seitdem zu Hause arbeitet. Der hat *(«Nein, ich kann dir jetzt keine Geschichte vorlesen, bitte, bitte, lass mich kurz arbeiten!»)* in seinem Haus die Regel aufgestellt, dass er, wenn er seine Krawatte und ein Jackett anhat, nur in Notfällen für familiäre Dinge ansprechbar ist. Seine Krawatte gilt als Signal «Papi will nicht gestört werden» *(«Bitte, Laetitia! Ich kann jetzt nicht! Ich verspreche dir, dass ich dir vorlese. Aber erst in zehn Minuten. Lass mich das noch eben zu Ende schreiben und geh zu Mami!»).* Das mit der Krawatte muss ich mal probieren, das funktioniert ganz sicher.

Der Hauptvorteil allerdings liegt darin, dass mein Tag nicht von einem Unternehmen fremdbestimmt wird, ich den Luxus habe, nicht nur zu tun, was ich will, sondern auch, wann und wie ich es will. Wenn ich keine Lust habe, an meinen Schreibtisch zu gehen, ich dies aber muss, wende ich einen alten Trick an, der vieles leichter macht: Ich sehe die Arbeit als Spiel. Sitze ich an einem trockenen Text, der überarbeitet werden will, sage ich mir nicht «Geh an die Arbeit», sondern ich fordere mich auf, mit dem Text zu spielen. In dem Moment, in dem man etwas spielerisch betrachtet, fällt es leichter.

Interessanterweise sagt die Ratgeberliteratur, die uns vor zehn Jahren noch empfahl, sich hundertprozentig mit seinem Beruf zu identifizieren, uns heute, es sei an der Zeit, Arbeit als reinen Broterwerb zu sehen, Sinnerfüllung sei in Familie und Freizeit zu suchen. Vielen Dank für den Hinweis, doch beides ist gleichermaßen unattraktiv. Wer, was er tut, als reinen Broterwerb betrachtet und nicht ein bisschen Leidenschaft in seine Arbeit investiert, macht sich genauso unglücklich wie der, für den sie zur Ersatzreligion geworden ist. Das Geheimnis besteht darin, ein entkrampfteres Verhältnis zur Arbeit zu entwickeln und ihr mit einer spielerischen Haltung zu begegnen. Begreift man seinen Beruf als Spiel, kann man in ihm aufgehen, so wie man in einem Spiel aufgeht. Auch ein Spiel nimmt man, solange man es spielt, ja durchaus ernst und sieht darin nicht bloß eine zeittötende Zerstreuung. Aber sollte es vorbei sein, fällt man nicht ins Leere. Und wenn man verliert, beginnt ein neues Spiel.

Die Begabung zum Spiel ist nahe verwandt mit der Befähigung zur Muße. Mir wurde von klein auf beigebracht, dass Muße etwas Heiliges ist. In der Muße ist der Mensch am meisten bei sich. Nur in der Muße, oder aus Spaß, vermag er wirklich große Dinge. Albert Einstein hat die Relativitätstheorie entwickelt, als er auf dem Caputher See im Ruderboot saß. Die Glühbirne wurde von einem Freizeittüftler, einem deutschen Uhrmacher, und das Internet von ein paar Computerfreaks erfunden, die ihre Rechner aus Spaß vernetzten. Egon Friedell meint in seiner «Kulturgeschichte der Neuzeit», man müsse sich darüber im Klaren sein, dass manche der größten Erfindungen der Menschheit aus spielerischem Erfindungsgeist, aus Spaß – *diletto* –, also von Dilettanten gemacht wurden.

Mein alter Lateinlehrer, Dr. Deutsch – ein großartiger Mann, weil er ein Relikt aus einer Zeit war, als es noch Prügelstrafen gab, der seinen Schülern gerne Kopfnüsse bei falsch konjugierten Verben gab und an jeden zweiten Satz «nicht wahr?» anhängte –, sagte immer, es gebe nur zwei wirklich verabscheuungswürdige Dinge: Faulheit und Dünkel. Für viele von uns verarmten Adeligen aber war Dünkel, was ja nur ein anderes Wort für Standesbewusstsein ist, das Einzige, was wir noch hatten. Und unsere Fähigkeit zur Muße, also «Faulheit», galt uns als Voraussetzung dafür, die Dinge, die man am meisten schätzt, auch zu genießen.

Die Fähigkeit zur Muße wurde mir glücklicherweise ebenso in die Wiege gelegt wie ein Hang zur spielerischen Tätigkeit. In meiner eigenen Familie haben die männlichen Mitglieder in den letzten einhundert Jahren ein Gutteil ihres Lebens auf der Jagd oder beim Kartenspiel verbracht. Nun war die Jagd für einen verarmten Adeligen in der Bundesrepublik der achtziger Jahre keine feudale Angelegenheit. Für meinen Vater bedeutete Jagd, dass er mitten in der Nacht aufstand, beachtliche Strecken fuhr, um in das Revier eines Freundes, Bekannten oder Verwandten zu kommen, sich bei Frost hinter irgendein Gebüsch hockte – und drei Tage später stolz lächelnd und nach Tannenzapfen riechend mit einer toten Elster wiederkam, darüber allerdings so glücklich war, als ob er ein wundes Nashorn erlegt hätte.

Nach der Jagd folgte in der Wertschätzung der männlichen Mitglieder meiner Familie lange nichts und dann das Kartenspiel. Sobald mehr als drei Mitglieder meiner weiteren Großfamilie, Onkeln, Tanten, Vettern, beisammen sind, werden die Karten ausgeteilt. Fehlt ein «vierter Mann», gibt es keine Entschuldigung, auch schwerstbehinderte Familienmitglieder haben mitzuspielen. Tante Eule zum Beispiel: Wegen eines nervösen Augenleidens konnte sie ihre Lider immer nur kurz öffnen. Also spielte sie mit geschlossenen Augen und blinzelte nur manchmal, um das Gesehene sozusagen zu fotografieren. Mein Vater spielte auch im fortgeschrittenen Stadium der Parkinson'schen Krankheit, bis zuletzt. Als er kurz vor seinem Tod, schon stark sprachbehindert, seinen jüngeren Bruder Georg besuchte und sagte, er wolle an den «Gartentisch», führte Onkel Georg ihn nach draußen. Darauf reagierte mein Vater sehr unwirsch, denn natürlich wollte er an den «Kartentisch».

Als Heranwachsender war mir die Jagd- und Kartenlei-
denschaft meiner Familie nicht geheuer. Inzwischen ver-
mute ich, dass ihr eine tiefere Einsicht zugrunde liegt, die
ich noch nicht endgültig gelüftet habe, von der ich aber
ahne, dass sie ein kultureller Vorteil sein könnte. Ein verarmter Abkömmling aus dem französischen Adelshaus
Montmorency, dessen Familie während der Weltwirtschaftskrise 1929 alles verloren hatte, war Straßenfeger in
Paris. Die Anekdoten, die sich um ihn ranken, erzählen allesamt von einem fröhlichen Mann, der dankbar war, an
der frischen Luft arbeiten zu können. Eine der Geschichten ist besonders aufschlussreich: Einmal soll jemand ihn
gefragt haben, warum er denn so eifrig bei der Sache sei;
bei der endlos langen Straße müsse seine Arbeit doch langweilig und ermüdend sein. Darauf erklärte Montmorency
ihm sein ausgeklügeltes spielerisches System: Er teile die
Straße in gedachte Felder auf, die in einer bestimmten Rei-
henfolge zu fegen seien, so schaffe er sich stets neue Etap-
penziele, und das fordere seine ganze Aufmerksamkeit.

Ganz ohne Zweifel war Montmorency glücklicher als
viele seiner Kollegen. Der berühmte ungarische Psychologe Mihaly Csikszentmihalyi hat den Begriff «Flow» ge-
prägt, der die Momente bezeichnet, in denen man vollkommen in seine Tätigkeit versunken ist, die Zeit stehen
bleibt, man rundum wunschlos ist. Dieser «Flow», der als
beglückend empfunden wird, kann beim Arbeiten entstehen, aber vor allem stellt er sich beim Spielen ein. Und je
spielerischer man veranlagt ist und je mehr man seine
spielerische Ader hegt, desto glücklicher ist man bei der
Arbeit.

Lange herrschte die Meinung vor, dass Arbeit nur als
ernste Pflichterfüllung zu verstehen sei. Ende des 19. Jahrhunderts, als diese Art der Arbeitsverherrlichung ihren

Höhepunkt erreichte, schrieb der amerikanische Ökonom Thorstein Veblen, mürrischer Sohn norwegischer Einwanderer, sein berühmtes Buch «Theorie der feinen Leute» (1899), eine Verunglimpfung der sich mit Spiel und Spaß vergnügenden Klasse. Heute wissen wir, dass unsere Fähigkeit zu Spiel und Spaß unsere Rettung sein kann, weil es das Einzige ist, was uns noch bleiben wird.

Vor ein paar Jahren lud die Stiftung Michail Gorbatschows die wichtigsten Ökonomen, Politiker und Wirtschaftsführer der Welt zu einer Tagung zum Thema «Zukunft der Arbeit» in ein Luxushotel in San Francisco. Das einhellige Ergebnis aller Experten, darunter Margaret Thatcher, Jeremy Rifkin und mehrere Nobelpreisträger: Zwanzig Prozent der arbeitsfähigen Bevölkerung reichen im 21. Jahrhundert aus, um die Weltwirtschaft in Schwung zu halten. «Mehr Arbeitskraft wird nicht gebraucht.»

Damals prahlte John Cage, Topmanager bei der amerikanischen Computerfirma Sun Microsystems, auf einer Podiumsdiskussion: «Wir beschäftigen, wen wir gerade brauchen, zurzeit am liebsten gute Gehirne aus Indien. Wir stellen unsere Leute per Computer ein, sie arbeiten am Computer, und sie werden per Computer wieder gefeuert. Wir holen uns ganz einfach die Cleversten. Mit unserer Effizienz konnten wir den Umsatz seit unserem Beginn vor dreizehn Jahren von null auf über sechs Milliarden Dollar hochjagen.»

Darauf sein Tischnachbar, David Packard, Mitbegründer des High-Tech-Riesen Hewlett-Packard: «Wie viele Angestellte brauchst du wirklich, John?»

«Sechs, vielleicht acht, ohne sie wären wir aufgeschmissen. Dabei ist es völlig gleichgültig, wo auf der Erde sie wohnen.»

«Und wie viele Leute arbeiten derzeit für Sun Systems?»

«16 000. Sie sind bis auf eine kleine Minderheit Rationalisierungsreserve.»

Als Thomas Morus 1516 sein Werk «Utopia» schrieb, das einer ganzen Literaturgattung den Namen gab, träumte er davon, dass die Menschen eines Tages kaum arbeiten müssten. Diese Utopie ist fast erreicht. Das Ganze hat allerdings einen Schönheitsfehler: Wo nur noch eine Minderheit über ein regelmäßiges Einkommen verfügt, hat auch nur noch eine Minderheit Geld für den Konsum. Hannah Arendt schrieb bereits 1958 in «Vita Activa», lange bevor die heutige Entwicklung absehbar war: «Was uns bevorsteht, ist die Aussicht auf eine Arbeitsgesellschaft, der die Arbeit ausgegangen ist, also die einzige Tätigkeit, auf die sie sich noch versteht. Was könnte verhängnisvoller sein?»

Es ist also dringend zu empfehlen, sich eine Identität und Anerkennung zu verschaffen durch eine Tätigkeit, die keine bezahlte Arbeit ist. Fällt die Arbeit nämlich weg, droht die Gefahr der Leere oder, was auch nicht schön anzuschauen ist, man versucht krampfhaft, so zu tun, als ob sich nichts geändert habe. Wenn ich mich in der Gegend aufhalte, in der früher mein Büro war, zwischen Bahnhof Friedrichstraße und dem Boulevard Unter den Linden, sieht man um die Mittagszeit etliche junge Leute, die sich eilig zum Essen treffen. Sie wirken alle, als hätten sie einen Job, zu dem sie wieder zurückmüssen, sehr viel wahrscheinlicher ist aber, dass sie nur Mittagspause simulieren und anschließend wieder nach Hause gehen.

Angeblich laufen in Berlin zehntausend arbeitslose Journalisten herum. Wenn man jene hinzuzählt, die es bereits beim Platzen der New-Economy-Blase erwischt hat, also ein Jahr vor der Kündigungswelle in den Medien, und all die Opfer in den artverwandten Branchen (etwa in den

Werbe- und ominösen PR-Agenturen), hat Berlin endlich wieder eine Chance, eine Art Boheme zu entwickeln. Allerdings sieht man in dieser Stadt statt fröhlicher, etwas abgerissener Gestalten, die in Kaffeehäusern große Ideen entwickeln, nur mies gelaunte, jammernde oder bestenfalls melancholische ehemalige Kollegen. Sie beklagen ihr Los und sind so damit beschäftigt, von der Künstlersozialkasse in kunstvoll formulierten Briefen Rückzahlungen zu fordern und Formulare für Ich-AGs auszufüllen, dass sie keine Zeit haben, Bohemiens zu sein.

Ein ehemaliger Kollege von mir, der für eine inzwischen eingestellte Zeitung schrieb, tut immer noch so, als sei er ein viel beschäftigter Journalist. Er vertreibt sich seine Nachmittage im Regierungsviertel und geht vornehmlich auf jene Pressekonferenzen, bei denen im Anschluss ein paar Häppchen angeboten werden. So spart er sich das Mittagessen. Spricht man ihn an, versucht er jeden Eindruck zu vermeiden, es mangele ihm an Auftraggebern. Manchmal sieht man ihn, wenn man bei Phoenix reinschaltet, bei den Pressekonferenzen zwischen den Kollegen im Pulk stehen und sich eifrig Notizen machen.

Der Grund für die Errichtung solcher Fassaden ist die irrige Annahme, man könne nur durch seine Arbeit gesellschaftliche Anerkennung gewinnen. Von der Antike bis zur Reformation galt allen vernünftigen Menschen Arbeit als etwas, was dem eigentlichen Leben im Wege steht. Der Sinn und Zweck der Arbeit war es, Muße zu ermöglichen. Dort müssen wir wieder hin! Arbeit muss wieder als notwendiges Übel, nicht als Heilswerkzeug, betrachtet werden, auch wenn wir dadurch weniger Geld zur Verfügung haben. Wir müssen uns wieder daran erinnern, dass Arbeit über weite Teile unserer Geschichte hinweg nichts Ehrenvolles war. Ehrenvoll war es, Menschen zu helfen, sie zu verarzten, sie zu lehren oder zu beschützen. Gearbeitet wurde aus Not oder aus Geldgier. Erst spät in unserer Geschichte, nach der Reformation, erhielt Arbeit eine moralische Komponente. Luther war es auch, der den folgenschweren Fehler beging, das Wort «Beruf» als Synonym für «Arbeit» in die Welt zu setzen.

Lange sträubten sich die Menschen, die neue Leistungsethik zu übernehmen, irgendwann haben sie sie geschluckt. Immer mehr wurden Arbeit und das «Recht auf Arbeit» – nach Marx und Engels eines der fundamentalen Menschenrechte und seither fester Bestandteil der Wahlprogramme aller deutschen Parteien – zum sinnstiftenden Faktor des Zentraleuropäers. Dass der Schwiegersohn von Karl Marx, Paul Lafargue, sich beim Vater seiner Frau unbeliebt machte, indem er in seinem Werk «Das Recht auf Faulheit» (1880) ebendieses forderte, blieb leider eine Fußnote der Geschichte.

«Heute wirkt ein Zimmer luxuriös, wenn
es leer ist.»

HANS MAGNUS ENZENSBERGER

Liebe dein Zuhause
Über den Wert der Wohnung

Der Satz «My home is my castle» wurde so oft zitiert, dass
sein Inhalt völlig im Dunkeln liegt. Aus ihm spricht einer-
seits eine gewisse Trutzburg-Mentalität, das Gefühl, in
seiner Wohnung unverletzbar zu sein, vor allem aber ein
gewisser Stolz auf das eigene Zuhause. Die Engländer glauben, dass ihr Wort «home» einmalig ist, und verehren das
Heim als kleines Reich, in dem man unumschränkter Herr-
scher ist. Alle Engländer, denen ich begegnet bin, besaßen
eine ausgeprägte Fähigkeit, ihre Wohnung als Trutzburg,
zugleich jedoch als eine Art Palast zu sehen.

Die Reihenhäuser in den mittlerweile von den Städten
usurpierten ehemaligen Vorstädten Londons wurden tatsächlich, zumeist im 19. Jahrhundert, als Miniaturpaläste
konzipiert. Die Grund- und Fabrikbesitzer ließen für ihre
Arbeiter Wohnsiedlungen bauen, deren Parzellen alle iden-
tisch waren und in gewisser Weise die eigenen Landsitze
kopierten: Jedes der Häuser bekam einen Minipark (das
Fleckchen Grün hinter dem Haus), ein Wohnzimmer, man
versammelte sich also nicht mehr in der Küche am Herd,
sondern in einem «drawing room», der so heißt, weil man
sich dorthin zurückzieht («to withdraw»). Das Wohnzimmer erhielt einen Kamin, wie oben auf dem Schloss. Diese

Siedlungen wurden geschaffen, um die Arbeiterschaft aus ihren dunklen Keller- und Hinterhofwohnungen zu befreien. Der Ehrgeiz, den Geschmack und die Lebensbedingungen der Massen anzuheben, war Teil der viktorianischen Ideologie.

Heute, hundert Jahre später, ist es jedermann möglich, seine Etagenwohnung in einem Standard einzurichten, der noch vor hundert Jahren einer hauchdünnen Schicht vorbehalten war. Man kann sein Heim, so klein es auch sein mag, als Palast begreifen. Und wer sich damit schwer tut, kann es wenigstens als großräumiges Hotelappartement betrachten. Jede noch so kleine Wohnung ist inzwischen größer als jede Junior-Suite in einem der modernen Luxushotels. Wenn Sie sich darüber grämen, dass Sie in einer Zweizimmerwohnung sitzen, stellen Sie sich vor, es sei eine Suite mit zusätzlicher Küche in einem der wenigen Hotels, die noch nicht der weltweiten Standardisierung zum Opfer gefallen sind. Ihr Badezimmer erklären Sie zum Spa-Bereich. Es funktioniert! In Joris-Karl Huysmans' Roman «Gegen den Strich» (1884), der in Oscar Wildes «Bildnis des Dorian Gray» als geheimnisvolles «yellow book» erwähnt wird, ist sehr schön beschrieben, wie man sich – mit ein wenig Kreativität und Einbildungsvermögen – in seinem Badezimmer wie in der Südsee fühlen kann: «Man lässt das Wasser in der Badewanne salzen, tut Glaubersalz, chlorsaures Magnesium und Kalk dazu, zieht aus einem sorgsam verschlossenen Kästchen einen Knäuel Schnur oder ein Stückchen Tau, das man eigens in einem jener großen Seilerlager geholt hat, deren weite Lagerräume und Erdgeschosse nach Meerwasser und Hafen riechen, atmet den Duft tief ein ...»

Man kann auf engstem Raum eine ansehnliche Existenz führen. In Manhattan gilt für einen überdurchschnittlich verdienenden Single ein um die 30 Quadratmeter großes Apartment als Luxus. (Nach deutschem Sozialrecht hat man als arbeitsloser Single ein Anrecht auf staatlich finanzierte 45 Quadratmeter.) Aber solch eine Wohnung kann schöner sein als ein weitläufiges, geschmackloses Penthouse, vorausgesetzt, man verzichtet auf gewisse Gemütlichkeitsbegriffe. Die Gemütlichkeit gebietet die Polstergarnitur, die Eleganz schreibt Stühle vor, die an der Wand stehen. Die Gemütlichkeit liebt Teppiche, die Eleganz liebt kahle Böden, selbst wenn es nicht Parkett, sondern nur Laminat ist. Die Gemütlichkeit liebt das Dazustellen, die Eleganz das Wegnehmen. Die Gemütlichkeit liebt die Enge, die Eleganz die Leere.

Einer der größten Feinde des Geschmacks ist die Angst vor Kühle und der daraus resultierende Drang, jede Ecke eines Zimmers voll zu stopfen, alles mit Teppichen auszulegen, jeden Zentimeter Raum auszunutzen. Die abscheulichsten Wohnungen sind aber zuverlässig die, deren Besitzer glauben, fehlendes Stilempfinden durch den Kauf teurer «Designermöbel» ausgleichen zu können, kombiniert mit technischem Schnickschnack. Wenn man solche Wohnungen betritt, riecht es meist im ersten Moment unangenehm nach Kunstleder, was an den nachgemachten Artdéco-Sesseln liegt. In den zu hoch hängenden Bilderrahmen im Flur befinden sich Miró-Drucke, und das Wohnzimmer ist auf den enormen Flachbildschirm ausgerichtet, der die Funktion eines Hausaltars erfüllt. In den wirklich schlimmen Wohnungen hängt dann noch irgendwo entweder ein Keith-Haring-Plakat, ein Foto von Gunter Sachs oder ein Bild von Rizzi («aus New York mitgebracht»).

Schon immer war der allergrößte Feind des Geschmacks nämlich das Geld. Anhand meiner Familie ist das sehr schön nachzuweisen. Für uns hat es sich als unschätzbarer

Vorteil erwiesen, dass wir mit den Jahrhunderten kontinuierlich ärmer wurden. In den Schlössern war es früher üblich, dass jede Generation über den Einrichtungsstil der
vorherigen hinwegfegte. So wurden die schönsten Fresken
übermalt, die zauberhaftesten Roentgen-Tischchen für
protziges Empire rausgeschmissen, phantastische Barock-
möbel durch historistischen Müll ersetzt. Es ist noch gar
nicht so lange her, dass auch die Reichen einen Sinn für alte
Möbel entwickelt haben. Bis vor hundert Jahren warf man,
wenn möglich, alles weg, was «alt» war.

Meine Familie war in der Zeit, in der es um uns herum
mit dem Geschmack bergab ging, erfreulicherweise schon
nicht mehr reich genug, um den neuen Moden hinterherrennen zu können. Also behielt man all die Möbel aus dem
frühen 18. Jahrhundert und benutzte sie weiter, statt sie
durch scheußliches neues Zeug zu ersetzen. Immer wieder
ist zu beobachten, dass finanzielle Krisen sich als kulturelle
Vorteile erweisen. Die berühmte Münchner Frauenkirche
hat nur deshalb ihre unverwechselbaren Kuppelhauben,
weil der Stadt im 16. Jahrhundert das Geld für die geplan-
ten spitzen Turmhelme fehlte. Nur dank der damaligen
Finanzmisere verfügt München heute über dieses Wahr-
zeichen.

Die Faustregel lautet also: Je mehr Geld, desto größer die
Gefahr der Geschmacksverirrung. Obwohl aber über-
schüssiges Einkommen meist im Kauf von Ramsch endet,
sollte man als stilvoll Verarmender darauf achten, in einer
Stadt zu leben, deren Lebenshaltungskosten nicht allzu
hoch sind. Es gibt Städte, die für Verarmende schlicht ungeeignet sind. Zürich und London sind solche Orte. München ist heutzutage ebenfalls nicht zu empfehlen. Im
deutschsprachigen Raum gibt es zwei Großstädte, in denen

es sich als Verarmender besonders gut aushalten lässt: Berlin und Wien.

Der Vorteil einer Stadt wie Berlin für Langzeitstudenten, Arbeitslose, früher Wehrdienstverweigerer und heute freie Journalisten war schon immer die Tatsache, dass die Grundversorgung (Bulette, Spreegurke, später Currywurst und würzloses Bier) hier traditionell preiswerter ist als in anderen deutschen Städten. Bei den zig Buchvorstellungen in ausländischen Kulturinstituten, Vortragsveranstaltungen und Ausstellungseröffnungen, die täglich in Berlin stattfinden, kann man, wenn man sich angemessen kleidet, mühelos jeden Abend unter Leute gehen, ein paar Gläser trinken, einen Happen essen, und das, ohne einen Cent zu zahlen. Denn wer «wie die anderen» aussieht, dessen Einladungskarte wird bei solchen Veranstaltungen in den seltensten Fällen verlangt. Berlin hat das Zeug, zu einem Paradies für Schnorrer – oder wie es früher netter hieß: Nassauer – zu werden. In Berlin ist es relativ unkompliziert möglich, zu einem Botschafter eingeladen zu werden, die ausländischen Vertretungen sind für jeden Gast dankbar, der sich zu benehmen weiß.

Da ich nicht beabsichtige, einen «Berlin für Nassauer»-Führer zu veröffentlichen, kann ich meinen ultimativen Schnorrertipp schon jetzt verraten: Lassen Sie sich vom Bundespräsidenten zum Bankett einladen. In keiner Hauptstadt eines G-8-Landes ist es so leicht, beim Staatsoberhaupt zu Gast zu sein wie in Deutschland, der Weltzentrale des Egalitarismus. So geht's: Man informiert sich über kommende Staatsbesuche und schreibt einen höflichen Brief auf nicht allzu pompösem Briefpapier, in dem man plausibel macht, warum man gerade bei dieser Gelegenheit zu den Gästen zählen möchte; erfinden Sie den Namen Ihrer mittelständischen Firma, die natürlich mit dem betreffenden Land rege Wirtschaftsbeziehungen anzuknüpfen wünscht, oder faseln Sie von irgendwas Kulturellem (besser noch: Karitativem) – Sie werden garantiert eine Einladung erhalten, vorausgesetzt, Sie legen es nicht darauf an, zu kommen, wenn Putin oder die Queen da ist. Der Präsident Usbekistans, Chiles oder Sloweniens (oder war es die Slowakei?) tut es auch, der protokollarische Aufwand ist der gleiche. Übrigens isst man beim Bundespräsidenten sehr gut. Nur die Tischreden sind manchmal etwas zäh. Man kann nach dem Essen mit fast allen zwanglos plaudern (außer mit Außenminister Fischer, der sehr wählerisch ist, mit wem er spricht). Und wenn man sich zu langweilen beginnt, kann man sich leicht zurückziehen: Gleich vor Schloss Bellevue befindet sich eine Bushaltestelle.

Traditionell ist Berlin sehr zuvorkommend gegenüber Verarmenden. Die jahrelange Inselsituation hat eine Mentalität des Wir-müssen-Zusammenhaltens geschaffen, die historische Erinnerung, nur durch Geldgeschenke überlebensfähig zu sein, wirkt quer durch die sozialen Schichten nach. In keiner anderen deutschsprachigen Stadt werden so viele Menschen durch öffentliche Mittel in Lohn und Brot gehalten, nirgendwo geben sich Behörden derart betont kundenfreundlich. Vielleicht ist es überhaupt der greifbarste Erfolg der Achtundsechziger, dass sie es geschafft haben, den schikanösen preußischen Muff aus den Berliner Amtsstuben zu vertreiben.

Als wir noch in Berlin-Kreuzberg lebten, war die für uns zuständige Steuereintreiberin eine junge, recht hübsche Dame, deren Name lustigerweise fast nur aus Konsonanten bestand, nämlich Skrzypczakjk. Wenn sie ihre Besuche in der Straße machte, Vollstreckungsankündigungen in der Tasche, grüßten sie die Leute freundlich. Zwischendurch saß sie bei Giovanni, wo jeder saß, und schlürfte zwei Espressi, ihr Verantwortungsgebiet wohlwollend im Blick behaltend. Ihre Besuche waren nie unangenehm.

Auch die Wohnkultur in Berlin kommt Verarmenden sehr entgegen. Die Mieten sind außerordentlich günstig, noch wichtiger aber ist, dass kaum jemand seine Wohnung als Prestigeobjekt betrachtet oder großen Wert auf Repräsentation legt, dafür umso mehr auf Stil.

Berlin ist vielleicht die pittoreskere, Wien aber sicher die schönere der beiden besten Städte für Verarmende. Das Angenehme an Wien ist, dass man hier sogar suspekt wirkt, wenn man Geld hat. Kein Mensch wird aus der Gesellschaft ausgeschlossen, nur weil er arm ist, eingeladen wird man, auch wenn man keine Visitenkarten besitzt, solange man sich ein wenig bemüht, geistreich zu sein. Gesellschaftlich geschafft hat man es in Wien, wenn man im Café Hawelka mit Vornamen – und vorangestelltem «Herr» beziehungsweise «Frau», versteht sich – angeredet wird. Neureiche hingegen, selbst wenn sie den Musikverein oder die Staatsoper unterstützen, werden verachtet. In fast jeder anderen Stadt der westlichen Welt kann man sich mit Geld in die Gesellschaft kaufen. In Wien funktioniert das nicht. Wer hier «dazugehören» will, muss wenigstens so tun, als habe er kein Geld.

Was Wien, als ehemalige Hauptstadt einer zentralistischen Monarchie, ebenfalls auszeichnet, ist der für alle Hofkulturen typische Stolz auf die eigenen vier Wände. Und da Wien nach dem Untergang des österreichisch-ungarischen Imperiums rasch verarmt ist, hat dieses Relikt der höfischen Repräsentation sich hier in einer sympathischen Form erhalten: Die ärmsten Kirchenmäuse wohnen in riesigen Altbauwohnungen mit uralten Tiefstmietpreisen, die sie samt Mobiliar von der Großmutter oder dem

Onkel übernommen haben, und niemand glaubt, dass sich mangelnder Geschmack mit Geld aufwiegen ließe. Daher ist Wien das traurige Schicksal erspart geblieben, das wohlhabende Städte mit ähnlicher Vergangenheit ereilt hat.

Die meisten größeren deutschen Städte waren, bis auf die freien Reichs- und die Hansestädte, Sitze von Fürsten oder Monarchen – und in allen höfischen Kulturen regiert vor allem einer: der Snobismus. Jede Schicht äffte die Sitten und den Lebensstil der nächsthöheren nach, und der Drang, mithalten zu wollen, führte regelmäßig dazu, dass sich die Nachäffer hoffnungslos verschuldeten. Der Prototyp aller Königshöfe war der Hof von Versailles. Um das snobistische System zu verstehen, wie es in München oder Hannover ebenso existierte wie in Dresden oder Kassel, betrachtet man am besten den französischen Hof.

Im königlichen Frankreich des 18. Jahrhunderts herrschte eine genau ausgeklügelte Hierarchie, wer in welchen Gebäuden wohnen und wie er sie nennen durfte. Nur der König und die Prinzen wohnten in einem «Palais», der hohe Schwertadel hatte seine Paläste bescheiden «l'hôtel» zu nennen. Bei einem Bürger sprach man von einem «maison». Die große Masse der städtischen Wohnbauten bildeten die so genannten «maisons particulières», was mit «Privathäusern» nur unzulänglich übersetzt ist. Wer in ihnen lebte, führte eine «vie particulière», ein gesellschaftlich irrelevantes Leben. Norbert Elias nennt es etwas brutal ein «randständiges» Leben. In höfischen Kulturen nahm nur der am öffentlichen Leben teil, der repräsentieren konnte; eine «vie particulière» zu führen war etwas Bedauerliches, Minderwertiges.

Diese Mentalität wirkte sich bis in die kleinbürgerlichsten Schichten aus. Ob in Darmstadt, Bonn oder München, jeder, der zeigen wollte, dass er es zu etwas gebracht hatte, musste in seiner Wohnung repräsentieren – und so entstand die gefürchtete gute Stube, ein Zimmer, das man am besten gar nicht betrat, in das man am Tag seiner Konfirmation fürs Foto durfte, in dem immer nur abgestaubt wurde. Lediglich zwei Mal im Jahr bat man Gäste herein, die dann genötigt wurden, Fotos in samtenen Bilderrahmen und irgendwelchen Ramsch hinter Vitrinen zu bestaunen, Kuchen vom besten Kaffeeservice zu essen und darauf zu achten, dass sie keine Flecken auf die Spitzendecke machen. Die gute Stube ist sozusagen die implodierte Form der höfischen Repräsentation.

Glücklicherweise sind die Tage der guten Stube gezählt, das «beste» Kaffeeservice ist abgeschafft, Möbel werden heutzutage genutzt und nicht geschont. Allein schon, weil sich niemand die Mühe machen will, stundenlang abzustauben, fliegt der Ramsch aus den Wohnungen und man schafft Platz. Überall gibt es heute einfache und stilvolle Möbel, für die man noch vor ein paar Jahren ein Vermögen hätte zahlen müssen.

Um ihren Lebensstandard trotz schwindender Mittel zu halten – oder gar zu verbessern –, entscheiden sich immer mehr Menschen für eine recht archaische Lebensform: die Wohngemeinschaft. Die längste Zeit ihrer Geschichte haben Menschen in Rotten zusammengelebt. Schon im Neandertal muss das so manches einfacher gemacht haben (nur ein Kabelanschluss, nur eine Spülmaschine), und es gibt keinen Grund, warum man nicht auf diese überaus gesellige Lebensform zurückgreifen sollte. Nicht nur Studenten, auch Berufstätige und Pensionisten, Geschwister und Freunde leben bereits das Gegenmodell zur verschwenderischen Atomisierung der Gesellschaft in Singlehaushalte. Selbst der Regierungschef des kleinsten deutschen Bundeslandes wohnt in einer WG, ganze Familien ziehen mit ihren erwachsenen Kindern zusammen, weil sie dadurch mehr Raum schaffen, dabei Geld sparen und das Leben mit gepoolten Kräften besser meistern können.

Wohnungen, in denen mehrere Menschen leben, Wohnungen, deren Türen Besuchern immer offen stehen, haben von jeher eine magische Anziehungskraft auf mich ausgeübt, sie waren mir stets lieber als irgendwelche Lokale oder Kaffeehäuser. Sogar im Hawelka, das noch am ehesten als Ersatzzuhause geeignet ist, werde ich nach einer Weile unruhig, in einer Wohnung von Freunden, in der Menschen ein und aus gehen, fühle ich mich ohne auf die Uhr zu sehen wohl. Es kommt nicht ständig irgendein Kellner, der einem etwas zu trinken aufdrängen will, die Toiletten schauen nicht aus wie im Gaza-Streifen (die im Hawelka sind so schmuddelig, dass sie als Sehenswürdigkeit gelten), und sitzen tut man in den meisten Wohnungen auch bequemer als im Kaffeehaus.

Nirgendwo kann man so gut verstehen, was Schopenhauer mit seinem Stachelschwein-Gleichnis meinte, wie in solchen Wohnungen. Stachelschweine, so Schopenhauer, hätten ein Bedürfnis nach Nähe und stellten sich gerne eng aneinander, sie würden durch die Stacheln aber sogleich wieder auseinander getrieben, bis sie schließlich «eine mäßige Entfernung von einander herausgefunden hatten, in der sie es am besten aushalten konnten». Die mittlere Entfernung zu anderen Menschen, nicht zu nah, aber auch nicht so weit, macht das Beisammensein am angenehmsten, und am besten funktioniert das, meiner Erfahrung nach, in Wohnungen mit für Gäste offenen Türen. Dabei spielt es überhaupt keine Rolle, ob dies ein Loft oder eine kleine Parterrewohnung ist. Eine Atmosphäre der Gast-lichkeit, der Gelassenheit, der Unkompliziertheit ist selbst in der allerkleinsten Hütte möglich.

Eine der elegantesten Wohnungen, in denen ich mich je aufgehalten habe, war winzig und lag im ersten Stock eines verfallenden Budapester Altbaus. Sie gehörte meinem On-kel Zsigmond, einem Grafen Nyáry, den ich dort früher, als Ungarn Teil des Ostblocks war, gelegentlich besuchte. Seine älteste Tochter war von einer Reise in den Westen nicht zurückgekehrt, also ließen die Behörden die Nyárys spüren, dass sie als Klassenfeinde galten, und brachten die Familie – Vater, Mutter und vier Kinder – in einer Zwei-zimmerwohnung unter.

Die Wohnung der Nyárys war der Beweis dafür, dass Ge-schmack und Stil auch unter schwierigsten Bedingungen die Oberhand behalten können. Nachts diente die Woh-nung als Schlaflager, frühmorgens aber, wenn alle aufge-standen waren, wurde der Raum verwandelt. Die Fenster wurden aufgerissen, die Matratzen irgendwo verstaut, Bü-cher zurechtgerückt, Sessel zurückgeschoben – und schon befand man sich in einem Salon, in dem Onkel Zsigmond Gäste empfing. Sein Teegeschirr war ein wildes Gemisch, in dem sich vereinzelt wunderschöne alte, angestoßene Tassen befanden, und wenn Freunde und Bekannte kamen, herrschte eine ungezwungene Atmosphäre wie in einem Landhaus.

Zsigmond trug jeden Tag die gleichen zwei Anzüge, tags-über einen braunen, abends zog er einen dunklen an, egal, ob er Besuch erwartete oder nicht, was selten vorkam. Er gehörte zu jenen Menschen, für deren Erscheinungsbild es keinen Unterschied macht, ob sie alleine sind oder in Ge-sellschaft. Er wäre nie auf die Idee gekommen, seine Kra-watte zu lockern oder Hausschuhe anzuziehen, nur weil er sich allein in der Wohnung aufhielt. Nicht jeder Schritt vor die Tür verdiene den Namen Ausgehen, meinte jemand einmal, sonst sei der Schritt vor das Schlafzimmer bereits ein Ausgehen. Doch so etwas können nur Leute sagen, denen noch nie ein Herr wie Zsigmond Nyáry begegnet ist.

Die Schönheit einer Wohnung ergibt sich also nicht durch das Geld, das man für sie ausgibt, durch das Stadtviertel, in dem sie liegt, sondern durch die Selbstverständlichkeit, mit der dort Gäste aufgenommen werden. Reich ist, wer eine Wohnung hat, die zum Anziehungspunkt seiner Freunde wird. Und reich ist auch, wer Freunde hat, bei denen er regnerische Tage verbringen kann, wenn ihm seine eigene Decke auf den Kopf zu fallen droht. Keine Hi-Fi-Anlage von Bose, kein Großformat-Fernseher mit Aktiv-Matrix-Bildschirm, keine Designmöbel von Conran können aber aus einer Wohnung einen Ort machen, an dem man gerne ist.

Essen macht satt

«Schön» essen gehen und andere Unarten

Es gibt immer noch Leute, die glauben, es sei Ausweis einer besonders mondänen Lebensart, wenn sie sagen, sie hätten außer einer Flasche Champagner und einem Kodakfilm (oder Nagellack, je nachdem) nichts im Kühlschrank. Dabei ist diese Haltung völlig démodé. Erstens ist Champagner ohnehin ein minderwertiges Getränk, für das man Trauben verwendet, die bei der Weinproduktion aussortiert wurden. Und zweitens gibt es, bei Lichte betrachtet, wenige Dinge, die so kleinbürgerlich sind wie «essen gehen», womöglich gar in der Kombination «schön» essen gehen.

Auf die Frage «Was machen wir heute Abend?» fällt dem Stadtmenschen fast nur noch eine Antwort ein: «Wir gehen essen.» Und geht man endlich essen, redet man über nichts anderes als – das Essen. Solche Gespräche bestehen aus Dialogen wie: «Ach, mein Rucolasalat ist vorzüglich, der Essig kommt sicher aus Modena.» – «Bitte probier mal meine Entenbruststreifen (auf Rucola, Anm. des Autors).» – «Mmh, himmlisch.» Dann erhebt man sein Glas und nickt sich wissend zu, wenn man sagt, dass Retsina eigentlich nur in Griechenland schmeckt und dass es eine gute Entscheidung gewesen sei, den Sancerre zu bestellen. Hat man all das besprochen, kommt zur Rettung die Haupt-speise, die ein abendfüllendes Thema ist.

Als eine der bedrohlichsten Plagen der Zivilisation muss die so genannte «Erlebnisgastronomie» bezeichnet werden. Sie heißt so, weil die Gäste nicht mehr nur essen, sondern auch «etwas erleben» wollen, da sie sich nichts mehr zu sagen haben, wenn sie sich am Tisch gegenübersitzen. Bei der Erlebnisgastronomie kommt es darauf an, dass die Bedie-nung Baströckchen anhat und der Gastraum möglichst ei-gentümlich eingerichtet ist. Man muss seine Schuhe aus-ziehen, um auf Polstern zu hocken, oder wenigstens süße Getränke aus Plastikbechern trinken, die Kokosnuss-schalen nachempfunden und mit einem Papierschirmchen dekoriert sind. Hans-Peter Wodarz, der in Wiesbaden einst das Restaurant «Ente im Lehel» betrieb, gehörte zu den Ersten, die begriffen, dass es den Leuten am liebsten ist, wenn sie unterhalten werden, statt sich selbst zu unterhal-ten, ihnen also während des Essens etwas geboten werden muss. Er erfand die Kombination von Zirkus und Restau-rant und tourt damit seit Jahren durch Deutschland. In seinem Restaurantzelt rutschen die Kellner aus und beklek-kern die Gäste, auf der Bühne finden artistische Darbie-tungen statt, am Ende des Abends haben seine Gäste kein Wort miteinander geredet und gehen glücklich um einen dreistelligen Eurobetrag erleichtert nach Hause.

Es soll ja mal eine Zeit gegeben haben, da suchte man gewisse Restaurants auf, weil das Essen dort besonders gut war. Heute gibt es in den Restaurants im Grunde nichts als Entenbruststreifen auf, oder schlimmer noch: «an» Rucola. Selbst das, was einmal als Haute Cuisine galt, hat längst aufgehört, Essbares hervorzubringen. Ich erinnere mich noch an die gute alte Zeit der Sterneküche, als Eki Witzig-mann das «Aubergine» in München führte und für seine liebsten Gäste geschmorten Ochsenschwanz und danach Kaiserschmarren servierte, während die Anwälte an den Nebentischen in ihrer Nouvelle Cuisine herumstocherten und neidisch zu uns rüberblickten, aber das, was wir aßen, nicht auf der Karte fanden.

Nouvelle Cuisine hatte, als sie erfunden wurde, eine großartige Funktion – es war die Befreiung der französischen Küche von Mehl und Fett. Inzwischen ist sie längst überholt: Die Köche, angetrieben von einem aberwitzigen, von Fachjournalisten angefeuerten Innovationsdruck, versuchen nur noch, sich gegenseitig an Originalität zu übertreffen, und haben dabei das Kochen verlernt. Neulich war ich seit längerer Zeit mal wieder in einem Sterne-Restaurant eingeladen und wusste, dass die Apokalypse der Nouvelle Cuisine unmittelbar bevorsteht, als ich das Menü sah: Austern-Lasagne. Hallo? Bierschaum-Carpaccio? Wie bitte!? Und, als sei die Krönung der Absurdität noch nicht ausgekostet: Bacon-and-Egg-Sorbet. Ja wirklich! Aus Neugier bestellte ich das Sorbet. Es kam eine glitschige gelbe Eiskugel, die tatsächlich, ziemlich ekelerregend, nach altem Fett schmeckte.

Wirklich unerträglich in Restaurants ist aber nicht einmal so sehr das Essen als vielmehr die Bedienung. Kellner sind entweder unverschämt oder versuchen sich, was noch unverschämter ist, durch besonders überkandidelten Service einzuschmeicheln. Der Restaurantkritiker der amerikanischen «Vogue» hat eine Kellnerausbildung absolviert und darüber ein Buch geschrieben. Seither wissen wir, dass gute Oberkellner in New York um die 75 000 Dollar Trinkgeld im Jahr verdienen und dass es systematisch vermittelte Tricks gibt, wie man das Trinkgeld steigert. Besondere Servilität ist es angeblich gar nicht, was uns am meisten Geld aus der Tasche zieht. Der Kellner hat erst dann gewonnen, wenn er den Gast beherrscht: Das fängt schon damit an, dass er einem nicht die Plätze gibt, die man sich aussuchen würde, sondern die, die er für uns bestimmt hat. Dann tritt er, wenn er gut ist, an den Tisch, ignoriert komplett, dass man das Menü bereits studiert hat, und empfiehlt in gebieterischem Ton das Filet von der Rotbarbe, als sei es eine Zurückweisung seiner ganzen Zunft, wenn man etwas bestellt, das man selber gewählt hat.

Der Gang ins Restaurant ist eine Qual, zu der aber viele gestresste Menschen gezwungen sind. Allein schon aus Zeitgründen. Ihr Beruf beansprucht sie so, dass ihnen kaum eine andere Möglichkeit bleibt, als diese Orte des Schreckens aufzusuchen, sei es um ihren Hunger zu stillen oder gar um Arbeitssitzungen zu absolvieren. Wer nicht mehr von früh bis spät vom Berufsleben unterjocht wird und sich regelmäßige Restaurantbesuche nicht mehr leisten kann, hat allen Grund, darin eine Bereicherung seiner Lebensqualität zu sehen. Immer wieder meldet sich ein ehemaliger Kollege von mir, der sich ebenfalls als freier Journalist durchschlägt, und besteht darauf, mit mir irgendwo «essen zu gehen». Jedes Mal aufs Neue versuche ich, ihm verständlich zu machen, dass dies eine Unsitte ist, zu der wir als Verarmende nicht mehr gezwungen sind, weil es viel stilvollere Möglichkeiten gibt, sich mit Freunden zu treffen.

In Städten wie London, Paris oder Wien ist es völlig normal, zu sich nach Hause einzuladen, ganz gleich, wie groß die Wohnung ist. Es spielt keine Rolle, ob man im Kensington Palast, in einem Reihenhaus am Lavender Hill oder in einer Mietskaserne wohnt, man bittet, auch ohne besonderen Anlass, regelmäßig eine Hand voll Freunde zum Abendessen, selbst wenn es nur Spaghetti gibt. Wer dauernd ins

Restaurant rennt, gibt eine gesellschaftliche Bankrotterklärung ab. Lediglich in der kurzen, aber umso schrecklicheren Lady-Di-Epoche galten Restaurants in London als chic. Diana ging mit schlechtem Beispiel voran, frequentierte etwa ständig das «San Lorenzo» am Beauchamp Place (den die Engländer idiotischerweise «Bie-Tschäm»-Place aussprechen), weil sie – vor allem von Journalisten – gesehen werden wollte, und eine Zeit lang machte jeder, der in London etwas auf sich hielt, es ihr nach. Inzwischen hat sich das gelegt. Die Leute laden wieder ein, was nicht nur eleganter, sondern auch viel relaxter ist.

Unangenehm wird es nur, wenn man eine Einladung Neureicher angenommen hat. Die Tischdekoration bei Neureichen sieht immer so aus, als habe sie ein Florist gemacht, der sich von einem üblen Ecstasytrip erholt. Ton, Sand, verschiedene Hölzer, vereinzelt Blumen, werden zu monströsen Gestecken montiert und, falls man in Düsseldorf oder München-Bogenhausen ist, gern noch mit falschem Goldstaub überstreut. Einzelne Äste dieser Skulpturen ragen dann nicht selten bis in die Koriander-Gurkenschaumsuppe mit Pinienkernen, die man zum Glück nicht essen kann, weil die dafür bestimmten Löffel von Philip Stark entworfen wurden und nicht zu benutzen sind. Meist steht eine Vielzahl von Gläsern vor einem, handgeblasen von der Firma Riedel, darin ist teurer, trotzdem billig schmeckender Wein, den man nur trinken darf, wenn man das Glas am Stiel anfasst und dem Hausherrn vorher tief in die Augen geschaut hat. Oft findet man dann noch ein Kärtchen mit seinem falsch, aber immerhin von einem Kalligraphen geschriebenen Namen neben seinem Platz und muss sich vom Gastgeber pointenlose Geschichten über die Scherereien anhören, die ein Ferienhaus auf Fuerteventura mit sich bringt.

Eine der für mich eindrucksvollsten Erfahrungen war einmal ein Essen, zu dem Shawne Borer-Fielding zu sich nach Hause eingeladen hatte, als sie und ihr Mann noch als Inbegriff der neuen Berliner Gesellschaft galten. Die gesamte Tischdekoration, einschließlich des Porzellans, war von Versace. Alles ertrank in einem Traum aus Gold und Weiß, dazwischen leuchteten Kerzen in einem bedrohlichen Arrangement aus Efeu. Zwei affektierte Kellner des für den Abend angeheuerten Cateringservice, von denen der eine ein wenig Make-up um die Wangen trug und nach Kouros von Yves Saint Laurent roch, servierten. Was es zu Essen gab, habe ich verdrängt, ich erinnere mich nur noch, dass der penetrante Kourosgeruch des Mietbutlers mir den ganzen Abend nicht aus der Nase ging und mir wochenlang leicht übel wurde, wenn ich etwas von Versace sah.

Viel angenehmer ist es da, in eine kleine Zweizimmerwohnung zu kommen, wo zwei Dutzend Gäste sich zwischen Wohnzimmer und Schlafzimmer verteilen, man auf der Bettkante sitzend den Teller auf seinem Schoß balanciert, billigen Wein trinkt und Pasta mit dehydrierten Pilzen isst, aber nie mehr gehen will. Zu einem Abendessen, bei dem man sich an einen gedeckten Tisch setzt, sollte man hingegen nicht mehr als sieben Personen bitten, weil so gewährleistet ist, dass ein Gespräch über den Tisch hinweg geführt werden kann und nicht jeder nur mit seinem Tischnachbarn redet, was schnell ermüdenden Smalltalk zur Folge hat. Die Teller dürfen ruhig einen Sprung haben, und wenn am Suppentopf ein Henkel fehlt – umso besser. Auch das Besteck kann aus einer Mischung aus gestohlenen Lufthansa-Gabeln, WMF-Messern und allenfalls verstreuten Silberlöffeln bestehen.

Am wichtigsten ist, dass man um das Essen selbst kein

Aufhebens macht. Wenige Dinge sind so enervierend wie Gastgeber, die ständig zwischen Küche und Tisch hin- und herrennen und sich dafür entschuldigen, dass das Geflügel verkohlt und die Soße missglückt sei. Je weniger Aufwand das Kochen macht, desto erfreulicher das Abendessen. Wer bei meiner Frau und mir eingeladen ist, bekommt grundsätzlich ein thailändisches Gemüsecurry. Es schmeckt, als hätte sich ein Stab von Küchenangestellten stundenlang mit der Vorbereitung beschäftigt, in Wahrheit ist es nichts anderes als gegartes Gemüse in scharf gewürzter Kokosmilch. Meine Mutter kochte, wenn wir Gäste hatten, immer das Gleiche, ihr ganzes Leben lang: ein ungarisches Krautgericht namens Káposztás kocka. Danach gab es ein ungarisches Dessert, ein Kastanienpüree. Genau diese beiden Speisen beherrschte sie, das allerdings perfekt. Nie wurde bei uns ein großes Gewese ums Essen gemacht, mit dem Ergebnis, dass die Gäste sich tatsächlich unterhielten und nicht den halben Abend damit verbrachten, das Menü zu loben, das natürlich hervorragend war, aber darauf verzichtete, sich in den Vordergrund zu drängen.

Kein überzogenes Konto, keine noch so kleine Wohnung raubt einem stilvoll Verarmenden die Möglichkeit, bei sich zum Essen einzuladen. Diese Art von Gastlichkeit hat in allen Kulturen seit jeher einen hohen Stellenwert. Besonders in weniger reichen Ländern spielt sie eine wichtige Rolle, mag das, womit man seine Gäste bewirtet, auch noch so bescheiden sein. Das Essen ist dort ein kommunikatives Ereignis, bei dem die Menschen, die am Tisch sitzen, im Zentrum stehen. Bei uns dagegen steht entweder das Essen selbst im Mittelpunkt, oder wir achten nicht darauf, womit wir uns ernähren.

Wir essen aus Zeitvertreib, aus Frust, aus Lust, selbst wenn wir keinen Hunger oder auch nur Appetit verspüren. Die Diätindustrie ist inzwischen der einzige Wirtschaftszweig, der in Europa und Nordamerika kontinuierlich Umsatzsteigerungen verzeichnen kann. Doch das allermeiste Geld fließt in die Behandlung von Herzkrankheiten, Bluthochdruck, Diabetes, gewichtsbedingten Gelenk- und Rückenproblemen. Die Industrie hat die Folgen der Fresssucht als Wachstumsmarkt entdeckt. In den Vereinigten Staaten werden jährlich drei Milliarden Dollar für chirurgische Eingriffe zur Reduzierung des Magenvolumens ausgegeben.

Kurios ist, dass über Jahrhunderte Übergewicht ein Ausweis materiellen Reichtums war. In unserem Kulturkreis dagegen gilt seit gut fünfzig Jahren die von Wallis Simpson, der Herzogin von Windsor, aufgestellte Regel: «You can never be too rich or too thin.» Natürlich kann man zu dünn sein. Das sei hier für all die jungen Leute angefügt, die aus Ekel vor den Essgewohnheiten ihrer Eltern und Lehrer dem anderen, ebenso zivilisationsbedingten Extrem, der Magersucht, erliegen. Doch so blödsinnig jener Satz auch ist, es lässt sich nicht leugnen, dass Schlankheit zum Statussymbol geworden ist. Heute ist Fettleibigkeit vor allem ein Problem der Unterschicht, während man in den Oberschichten dem Ideal von Schlankheit und Fitness hinterherjagt. Im Norden von Berlin-Neukölln und in München-Hasenbergl ernähren sich die Menschen hauptsächlich von Döner und Kartoffelchips, in Berlin-Mitte werden Rucolablätter wiedergekäut, und am Hackeschen Markt ist der neue In-Treff eine kleine, hippe Vitaminbar namens «Grasshopper», in der man frische Säfte mit Weizengras und Suppen mit Ingwer bekommt. Aber dass gesunde Ernährung prinzipiell teurer sein muss als die Ernährung durch Industriefraß, ist eine urbane Legende. Ob in Kohl, Tomaten, Äpfeln, Bohnen, Kartoffeln oder Zwiebeln – die Wissenschaftler entdecken in pflanzlicher Kost immer neue Substanzen, die für die Gesundheit unerlässlich sind, und diese Lebensmittel gehören zu den preiswertesten überhaupt.

Längst ist bekannt, dass zwischen Nahrung und körperlicher Gesundheit ein unmittelbarer Zusammenhang besteht, die Wechselbeziehung von Ernährung und psychischem Wohlbefinden allerdings wird erst jetzt von der Wissenschaft (wieder-)entdeckt. Früher hieß es «Fisch macht klug» und «Ein voller Bauch studiert nicht gern», und wir taten dies als Oma-Weisheiten ab. Inzwischen flossen Abermillionen Euro in die Forschung, und plötzlich steht fest: Fisch steigert die Intelligenz, und ein voller Bauch macht dumm und depressiv.

Die britische Wohltätigkeitsorganisation «Mind» hat über mehrere Jahre die Erforschung des Zusammenhangs von Essen und Geist finanziert. 2004 wurde das Ergebnis veröffentlicht: Demnach behindern ständiges Völlegefühl sowie Stoffe wie Zucker, Koffein und Alkohol die Produktion des körpereigenen «Glückshormons» Serotonin, während reichlich Wasserzufuhr, Gemüse-, Früchte- und Fischverzehr die Versorgung des Gehirns mit Serotonin begünstigt – wenn man sich nicht pappsatt isst.

Die in Fischen enthaltenen Omega-3-Fette scheinen ein Kopf-Wundermittel, eine Art Schmieröl fürs Gehirn zu sein. Für den Ernährungsforscher Peter Rogers, Professor an der Universität Bristol, besteht kein Zweifel, dass vitaminreiche Ernährung und regelmäßiger Fischverzehr milde Depressionen heilen können und die kognitive Funktion des Gehirns steigern. Patienten, die sich wegen Depression in ärztlicher Behandlung befanden, nahmen an einem von der bereits erwähnten Organisation «Mind» finanzierten Experiment teil, das sie zwang, ihre Ernährung hauptsächlich auf Obst und Gemüse umzustellen, täglich mindestens zwei Liter Wasser oder ungesüßten Tee zu trinken sowie mindestens einmal die Woche Fisch zu essen. Verblüffende achtzig Prozent der Patienten berichteten von «spürbarer» Verbesserung, jeder Vierte vom völligen Verschwinden der Schwermutsanfälle.

Michael Crawford, Direktor des Instituts für Gehirnchemie an der Universität von Nord-London, vertritt die These, dass wegen unserer schlechten Ernährung die Evolution des Gehirns sich – nach Jahrtausenden des Fortschritts – wieder umkehre. Wenn sein Befund stimmt, dass in Großbritannien in jeder Generation die «genetische Komponente der Intelligenz» um einen halben Prozentpunkt sinkt, muss man sich um unsere britischen Freunde langsam Sorgen machen, denn eines Tages könnte ihnen sogar eine Zeitung wie die «Sun» zu hoch sein. Doch auch wenn wir nicht wie die Engländer schon morgens gebratenen Speck und den Rest des Tages Fertigessen zu uns nehmen, gleichen sich unsere Ernährungsgewohnheiten den angelsächsischen an. Auch wir werden also mit jedem Bissen nicht nur fetter, sondern auch noch blöder. Und das stimmt sogar wortwörtlich, denn bereits eine einzige Mahlzeit kann sich nach jüngsten Forschungen der Universität Cambridge auf die Verfassung des Gehirns auswirken. Womit wir wieder bei den lange belächelten Oma-Sprüchen «Fisch macht klug» und «Ein voller Bauch studiert nicht gern» wären.

Schuld daran, dass wir unsere Körper als Müllverbrennungsanlagen missbrauchen, ist aber nicht nur der «dumme Verbraucher», sondern auch die Nahrungsmittelindustrie, die in ihrem Bemühen, billig Lebensmittel herzustellen, seit Jahren konsequent hirnwichtige Bestandteile aus dem Fertigessen eliminiert. Die für unsere Köpfe so wertvollen Omega-3- und Omega-6-Fettsäuren kommen nicht nur im Fisch, sondern auch in Fleisch, Milch, Eiern und Gemüse vor, doch die industrialisierte Landwirtschaft und die Labors der Nahrungsmittelwirtschaft filtern sie so gut sie können aus dem Essen, denn sie machen deren Produkte schneller verderblich. Daher sind sie dem Fertigessen, der Salami, den Tiefkühlpizzen entzogen. Die einzigen Fette, die wir in hohen Konzentrationen zu uns nehmen, sind die gesättigten Fettsäuren, die unsere Arterien verstopfen. Und weil es billiger ist, nährstofflosen Kunstdünger zu verwenden, werden unsere Lebensmittel immer ärmer an Vitaminen. Außerdem mischt die Industrie unserem Essen vermehrt chemische Zusätze bei, die es haltbarer, farbiger, geschmacksintensiver machen, unserer Gesundheit aber Schaden zufügen.

Früher blieben diese Chemikalien der Welt der Fünf-Minuten-Terrinen vorbehalten, heute kann man im Supermarkt so gut wie kein Fertigprodukt mehr kaufen, das nicht randvoll mit Konservierungsstoffen, Stabilisatoren, Säuerungsmitteln, Geschmacksverstärkern, Antioxidationsmitteln und Farbstoffen ist. Gerade Tütensoßen, Instantgerichte und Dosensuppen strotzen nur so davon, und für die 1,7 bis 8,4 Minuten Zeit, die man spart, wenn man die Spaghetti nicht mit frischen Tomaten, sondern einem aus blassem Pulver angerührten Brei serviert, für die Pfannkuchen anstelle von drei Zutaten nur eine verwendet, nämlich die Fertigmasse aus dem Kühlregal, oder die Broccoli mit «Broccoli-fein-und-rein» ertränkt, statt sie mit ein paar Tropfen Olivenöl zu beträufeln, zahlt man nicht nur mit messbarem Unbehagen, sondern meist auch noch mehr Geld.

Eines der meistverkauften Nahrungsmittel der Vereinigten Staaten sind Twinkies, kleine, wie süßer Schwamm schmeckende Küchlein, die laut Werbung die ideale Zwischenmahlzeit für Schulkinder sind. Twinkies haben kein Mindesthaltbarkeitsdatum, weil sie vollsynthetisch sind. Lässt man sie ein paar Tage auf dem Fensterbrett liegen, werden sie selbst von ausgehungerten Vögeln und Ameisen verschmäht; wahrscheinlich, weil sie ahnen, dass Twinkies nicht gut für sie sind. Bei einem Gerichtsverfahren in San Francisco versuchten Anwälte für einen Mörder verminderte Schuldfähigkeit geltend zu machen, weil er vor der Tat angeblich zu viel Twinkies gegessen hatte – sie sollen seine Urteilskraft behindert haben. Das Gericht folgte dieser Argumentation zwar nicht, akzeptierte den übermäßigen Konsum von Junk-Food des Angeklagten aber als Indikator für dessen depressive Geistesverfassung und machte mildernde Umstände geltend.

Solange ich einen sicheren Arbeitsplatz hatte, war es mir egal, womit ich mich ernährte. An einem Arbeitstag im Büro war Essen ein reines Antriebsmittel; es sollte heiß und durfte fettig sein. Zu Hause kochte meine Frau nur mit ausgesuchtem Gemüse aus dem Bioladen. Ich verschwendete keinen Gedanken daran, dass man für das Geld, für das man im Bioladen ein paar Tomaten und zwei Salatgurken bekommt, bei Aldi einen Einkaufskorb bis zum Rand füllen kann. Billige Currywurst draußen in der urbanen Wildnis, schonend gedämpfte Zucchini zu Hause – beides hatte keinen besonderen Wert für mich. Erst seitdem ich nicht mehr so viel Geld zur Verfügung habe, hat sich das geändert.

Natürlich kaufen wir weiter im Bioladen ein, aber jetzt sehe ich darin einen bewussten Luxus. Ich erinnere mich sehr plastisch daran, wie ich kurz nach meiner Entlassung versuchte, mich durch das Zusatzblatt «Selbständige Tätigkeit» zum Antrag auf Arbeitslosengeld durchzukämpfen, als meine Frau mit Eiern aus dem Bioladen nach Hause kam. Auf dem Sechserpack waren mehrere kleine Reformhaussymbole, ein Signet der Stiftung Warentest mit der Aufschrift «Hohe Qualität» und lauter putzige Zeichnungen gedruckt. Sie zeigten Hühner in glücklichen Situationen, auf Strohnestern hockend, Körner pickend, an Fensterplätzen sitzend. Solange meine Frau darauf besteht, nur Eier von artgerecht scharrenden Hühnern, Milch von glücklichen Kühen und frei laufende, zufriedene Möhren und Gurken zu kaufen, kann ich sicher sein, dass ich mir des Wertes jeder einzelnen Zucchini bewusst bin. Erst als Verarmender habe ich angefangen, auf Qualität zu achten. Nur wenn man nicht mehr umhinkann, Prioritäten zu setzen, beginnt man, überflüssige Dinge zu meiden, und die Dinge, an denen einem wirklich liegt, schätzen zu lernen.

Neulich traf ich einen alten Bekannten, den ich seit Jahren nicht gesehen hatte, und war überrascht, dass er keinen Wein trank. Er war mir als großer Weinkenner und -liebhaber in Erinnerung, für das Auktionshaus Christie's war er gelegentlich als Weingutachter tätig. Er erklärte mir lapidar, dass er sich die Weine, die er mag, nicht mehr leisten könne, die Zeiten seien vorbei. Jeder halbwegs trinkbare Bordeaux übersteige mittlerweile sein Budget, und billige Plörre lehne er ab. Also trinke er gar keinen Wein mehr, sondern nur deutsches Bier, das neben Wasser reinste Getränk der Welt.

Haben wir nicht alle in unseren Prosecco-Jahren auf Bier als etwas sozial Minderwertiges herabgeblickt? Haben wir nicht alle bei den üblichen Stehempfängen statt zum

Bier zum Wein gegriffen, weil wir dachten, das sei feiner, auch wenn wir genau wussten, dass bei dem Geschmack des Weins ein Giftanschlag nicht herauszuschmecken wäre? Und nun sagt einer der größten Weinexperten Europas als Resümee seiner jahrzehntelangen Erfahrung: Er trinke nur noch Bier. Vielleicht ein Vorbild für uns alle. Die Rückkehr vom Prosecco zum Bier illustriert den kulturellen Gewinn, den unsere relative Verarmung bedeuten kann, am schönsten.

«Die ganze Menschheit teilt sich in drei Klassen. Solche, die unbeweglich sind, solche, die beweglich sind, und solche, die sich bewegen.»

(Aus dem Arabischen)

Fitness for free

Wie man sich als Neuarmer fit hält

Fitness kann man nicht kaufen. Bewegung lässt sich nicht durch noch so gesunde Ernährung und erst recht nicht durch Pillen oder probiotische, rechtsdrehende Magnetmatratzen ersetzen. Zwar sind die beliebtesten Fitnesskuren die, die einem versprechen, dass man sich keine Mühe geben muss, aber damit ist es wie mit der Diät, die ein Amerikaner erfand und die es erlaubt, hauptsächlich fettiges Fleisch zu essen – er wurde zu einem der reichsten Buchautoren der Welt, erlag allerdings einem Herzinfarkt. Seine Bücher sind immer noch Bestseller; mittlerweile gibt es ganze Menülinien, die nach ihm benannt sind, und seine Witwe verklagt jeden, der behauptet, ihr Mann sei an den Folgen der von ihm erfundenen Diät gestorben. Eine kalifornische Firma verkauft weltweit erfolgreich Turnschuhe und wirbt damit, dass der Träger sich durch sie ohne eigenes Zutun fit halten kann. Ein Federmechanismus «integriert» Muskelübungen angeblich in normale Alltagsbewegungen, die Schuhe erledigen also den Sport für einen.

Ironischerweise wurden in einer Zeit, deren Symbol eigentlich der Hausschlappen sein müsste, der Turnschuh von Puma und die Trainingsjacke von Adidas zum unverzichtbaren Mode-Accessoire. Jährlich werden in Europa mehrere Milliarden Euro für ungenutzte Fitnessclub-Mitgliedschaften aus dem Fenster geschmissen. Lieber gibt man viel Geld für Dinge aus, mit denen man glaubt, wenigstens sein Gewissen beruhigen zu können, als zuzugeben, dass man vor der Ausbreitung des Fettgewebes kapituliert hat.

Der Mensch ist nicht für die Bequemlichkeit geschaffen, in der er sich eingerichtet hat. Über Jahrtausende seiner Entwicklung war er daran gewöhnt, viele Stunden des Tages in Bewegung zu sein, Nahrung zu sammeln, Beute zu schleppen. Biologisch nennenswert geändert hat sich der menschliche Körper in diesem Zeitraum nicht, aber peu à peu ist um uns herum eine Welt entstanden, in der wir unseren Körper nicht mehr brauchen. Anders jedoch als eine Maschine, die man jahrelang verstauben lassen kann und die tadellos funktioniert, wenn man sie wieder in Betrieb setzt, nimmt unser Körper leider Schaden, wenn man sich nicht ausreichend um ihn kümmert. Das systematische Schonen führt zu Stoffwechselschäden, Muskelschwund, Übergewicht, Haltungsschäden, Müdigkeit, Sauerstoffnot, Schlafstörungen, Arterienverstopfung und letztlich zu Herzinfarkt und Schlaganfällen. Wir richten uns zugrunde, gerade dadurch, dass wir versuchen, uns möglichst zu schonen.

Da sich das herumgesprochen hat, reagieren viele von uns über und versuchen, ihr ungesundes Leben, ihre Immobilität am Arbeitsplatz durch eine Art Gesundheitskult zu kompensieren. So wichtig aber Bewegung für die Gesundheit und das Wohlbefinden auch ist: Wenige Dinge sind so traurig anzusehen wie Leute, die der Gesundheit als absolutem und allerwichtigstem Gut hinterherlaufen und ihr alles unterordnen. Die Gesundheitsreligion, die in unseren Tagen sehr verbreitet ist und wie alle Religionen Gemäßigte und Fundamentalisten in ihren Reihen hat, nährt sich von einer Sehnsucht: der nach völligem, womöglich ewiglichem Wohlbefinden. Gesundheit aber ist nichts Absolutes; man ist nie vollkommen gesund. Wer sich in steter, liebevoller Sorge hauptsächlich um seinen eigenen Körper kümmert, führt ein sehr beschränktes Leben.

Als ich noch täglich ins Büro ging, glaubte auch ich, meine Gesundheit erkaufen zu können. Ich leistete brav meine Ablasszahlungen an das für mich zuständige Fitnessstudio, tauchte dort aber nach anfänglichem Enthusiasmus immer seltener auf. Inzwischen spare ich mir die Mitgliedsbeiträge und treibe stattdessen regelmäßig Sport: mit zwei Griffen, die auf dem Boden aufgestellt werden, um die Liegestütze zu optimieren, und einer Stange, die im Türrahmen unseres Schlafzimmers angebracht ist, um daran Klimmzüge zu machen. Wenn ich heute ein paar Übungen machen will, muss ich dafür nicht mehr ins Gewerbegebiet fahren, muss mich nicht mehr in einem Umkleideraum umziehen, der nach Bac-Deospray riecht (was man in geschlossenen Räumen nie verwenden sollte). Ich muss nicht mehr mit einem albernen Clipboard in der Hand von Übungsstation zu Übungsstation gehen und warten, bis ein Anabolika schluckender Muskelprotz in Leggings und einem rosa T-Shirt mit der Aufschrift «Just do it» endlich das Gerät für die unteren Rückenmuskeln freigibt. Und wenn ich laufen will, gehe ich in den Park, statt auf einem Laufband zu traben und dabei stumpfsinnig auf einen Bildschirm zu starren.

Die stilvollste Sportart jedoch ist schnelles Spazierengehen in der Natur, das alle paar Jahre ein Re-Branding durchmacht. Im Moment heißt es, glaube ich, Walking und wird in den Geschmacksrichtungen Hill-, Nordic-

Power-, ZEN-, Race-, Aqua-, Vital- und Body-Walking angeboten. Die Illustrierten wollen uns alle zwei Wochen eine neue Trendsportart einreden, doch was wir wirklich brauchen, sind frische Luft und Bewegung und nicht teure Kurse, um Tai-Chi, Qigong oder SenFi zu erlernen. Die Freizeitindustrie stellt sicher, dass für jede neue Trendsportart ein komplett neues Outfit notwendig ist, was dazu führt, dass immer mehr in scheußliche bunte Farben gekleidete, mit allerlei Utensilien ausgestattete Illustriertenleser unsere Grünflächen bevölkern. Je geringer der Geräte- und Modeaufwand beim Sport ist, desto mehr beweist man Geschmackssicherheit. Zum Dauerlaufen etwa reichen alte Trainingshosen, ein Paar Turnschuhe und ein T-Shirt völlig aus. Auch wenn Dauerlaufen seit geraumer Zeit Jogging heißt und womöglich demnächst unter einem neuen Namen relaunched wird, ist und bleibt es die einfachste und effizienteste Form, der Bequemlichkeitshölle zu entkommen, die wir uns geschaffen haben.

Denselben Effekt wie Dauerlaufen hat Treppensteigen. Wer acht Minuten täglich Treppen steigt, möglichst so, dass er zwei-, dreimal aus der Puste kommt, sorgt dafür, dass die Zahl der roten Blutkörperchen und damit die Sauerstoffversorgung in die Höhe schießt. Das wirkt berauschend und ist das weitaus preiswerteste Aufputschmittel auf dem Markt. Kein «Stepper», auch kein «Ergo Stepmaster de luxe» kann die positive Wirkung des realen Treppensteigens simulieren. Madonna hat das schon vor langer Zeit entdeckt. Als sie noch auf Tour ging, nutzte sie in den Luxushotels, in denen sie übernachtete, nie den Fitnessraum, sondern bat das Management, für ein Viertelstündchen das Treppenhaus zu sperren, in dem sie dann auf und ab rannte. Der Chef der berühmten Charité-Kliniken in Berlin, Professor Detlev Ganten, schwört auf Treppensteigen als «zuverlässigste Prophylaxe überhaupt gegen Herzkrankheiten» und verhinderte erfolgreich, dass im Verwaltungstrakt der Charité ein Lift eingebaut wurde, damit diese unkomplizierte Möglichkeit, jeden Tag ein wenig Sport zu treiben, erhalten bleibt.

Wer seine Lebensqualität verbessern will, erreicht dies am elegantesten und effizientesten dadurch, dass er versucht, mehr Bewegung in sein Leben zu integrieren. Bewegungsarmut ist auch eine Form von Armut, noch dazu eine, die zu Stumpfsinnigkeit und Trübsal führt. Erfreulicherweise lässt sich diese Art der Armut beheben, ohne einen Cent dafür aufwenden zu müssen. Der Trick liegt in einer kognitiven Veränderung: Mit jedem Schritt zusätzlicher Bewegung, mit jeder Überwindung, eine Treppe statt den Lift zu benutzen, aufs Fahrrad zu steigen oder zu Fuß zu gehen, statt mit dem Bus, dem Taxi oder gar dem Auto zu fahren, verbessert man seine Lebensqualität, gewinnt also Reichtum im immateriellen Sinne hinzu. Und jedes Mal, wenn man Bewegung meidet, zehrt man von seinem Wohlfühlkapital.

Nach dieser Rechnung ist zum Beispiel eine Wohnung im vierten Stock ohne Lift keine Mühsal, sondern eine Kapitalanlage, die in einem fort Dividende abwirft. Die Lebensqualität, und damit auch der subjektive Reichtum, hängt unmittelbar mit der Frage zusammen, ob man sich genug bewegt. Schon wer nur einmal wöchentlich eine halbe Stunde Sport treibt, verändert dadurch seinen Stoffwechsel, sein Immunsystem so sehr, dass er sich nicht nur besser fühlt, sondern auch weniger anfällig für Infektionen wird, und beugt dadurch sämtlichen Herz-Lungen-Krankheiten vor. Das Lebensgefühl, das man durch Bewegung gewinnt, ist nicht käuflich, nicht vom Versandhaus lieferbar oder per Kreditkarte zu bestellen – und daher unbezahlbar.

«Man sollte das Auto nur selten und dann bewusst fahren, und auch nur auf leeren Küsten- oder Bergstraßen.»

NIKLAS MAAK

Alptraum Auto

Warum es sich lohnt, kein Auto zu haben

Ich habe nie ein Auto besessen, und bisher hat das mein Leben sehr erleichtert. Ich bin kein Autohasser. Ich verstehe, dass ein Auto auch Freiheit bedeuten kann. Dass man irgendwo im Hessischen losfährt und ein paar Stunden später, je nach Belieben, in Transsylvanien, der Provence oder in Dänemark sein kann, hat durchaus seinen Reiz. Aber bei meinen fahrenden Freunden habe ich meist nur miterleben können, was für ein Klotz am Bein ein Auto ist. Das Geld, das sie für Benzin, Versicherung, Reparaturen, Parkplatzmiete, Falschparken und vieles mehr ausgeben, übersteigt bei weitem das, was ich für Bahntickets und gelegentliche Taxifahrten zahle. Die Zeit, die Autofahrer schimpfend und nach Parkplätzen suchend verbringen, spare ich mir ohnehin.

Vielleicht wäre es anders gekommen, wenn ich in Fürstenfeldbruck oder noch weiter auf dem Land aufgewachsen wäre, wo nur zweimal täglich Busse zur nächsten S-Bahn fahren. Aber ich habe die erste Hälfte meiner Jugend in München und die zweite im Großraum London verbracht, und in beiden Orten ist ein Auto völlig überflüssig. München ist mit einem engmaschigen Netz aus öffentlichen Verkehrsmitteln durchzogen, und wenn man aufs

Land fährt, lernt man in einem Zugabteil und auf den Bahnhöfen die Welt viel besser kennen, als wenn man abgeschirmt durch ein Metallgehäuse durch die Weltgeschichte braust.

Als ich nach London zog, erledigte sich das mit dem Auto ohnehin. London ist für Autofahrer schlicht die Hölle. Die Straßen sind selbst in den kleinsten Vorstädten verstopft, Stoßzeiten gibt es nicht mehr, nur nachts wird es für ein paar Stunden ruhiger, aber Verkehr ist immer. Die M25, der Autobahnring um die Stadt, ist mittlerweile schon acht Spuren breit, und dennoch ist der ganze Ring ein einziger, riesengroßer, kreisrunder Brei, der sich zentimeterweise um London herumdrückt. Manche Teile der Stadt kann man nur gegen Gebühr befahren, dennoch kommt man dort nicht vorwärts, und die Luft riecht überall, ob am Ufer der Themse oder mitten im Hyde Park, nach Tankstelle. Das Wort «Parkplatz» ist aus dem Vokabular der Londoner gestrichen. In London einen Wagen zu benutzen ist einfach schwachsinnig. Dennoch steigen die Leute dort nach vor in ihre Autos. Wahrscheinlich ist es mit dem Autofahren ähnlich wie mit Pyjamas. Oder mit orange scented Traditional Cologne von Dr. Harris. Wer sich nicht daran gewöhnt, vermisst es nicht, wenn er es nicht hat.

Noch nie hat mir außerdem der Ton gefallen, den Autofahrer verwenden. Die liebsten und ausgeglichensten Menschen werden hinter dem Lenkrad zu fluchenden Rohrspatzen. In der Studie «Aggression im Straßenverkehr» der Bundesanstalt für Straßenwesen heißt es zu diesem Phänomen nüchtern: «Wer über Emotionen im Straßenverkehr redet, berichtet nur in Ausnahmefällen von Glücksgefühlen – es geht in der Mehrzahl immer um Aggression.»

Paragraph 1 der Straßenverkehrsordnung hört sich angesichts der Realität auf Deutschlands Straßen wie Hohn an:

(1) Die Teilnahme am Straßenverkehr erfordert ständige Vorsicht und gegenseitige Rücksicht.
(2) Jeder Verkehrsteilnehmer hat sich so zu verhalten, dass kein anderer geschädigt, gefährdet oder mehr, als nach den Umständen unvermeidbar, behindert oder belästigt wird.

Selbst außerhalb des Straßenverkehrs halten sich die meisten nicht an Absatz 2, doch im geschützten Schneckenhaus ihres Automobils benehmen sich Menschen inzwischen wie Feinde. Seit Thomas Hobbes' «Leviathan» wissen wir, dass in der Frühzeit der Menschheit das Leben «nasty, brutish and short» war und dass jeder Mensch in einem Panzer steckte, der ihn auf ewig von seinem Nächsten trennte. Aber erst das Auto legte die entscheidende Schicht um diesen Panzer, der es Autofahrern erlaubt, sich über alle Regeln des kultivierten Miteinanders hinwegzusetzen.

Wenn man sieht, was rücksichtsloses Fahren im deutschen Sprachraum bedeuten kann, müsste man Deutschland eigentlich weiträumig umfahren. Das zentimeternahe, lichthupende Auffahren bei 150 km/h auf ein Auto, in dem eine Familie mit Kindern sitzt, ist ein rein deutsches Phänomen. Zehn bis fünfzehn Prozent der Unfälle mit «Personenschaden», also Toten und Verletzten, ereignen sich jedes Jahr, Prozentsatz steigend, wegen «ungenügenden Sicherheitsabstands», also Drängelns. Alfred Fuhr vom Institut für Verkehrssoziologie beim AvD sagt: «Jedes Land verdient die Autofahrer, die es hervorgebracht hat.» In Deutschland habe man es auf der Straße vorwiegend mit dem Typus «unter Druck stehender Studienrat» zu tun, der alles in sich hineinfrisst, irgendwann explodiert und zum Risiko für andere wird.

Je länger ich über kein Auto verfügte, desto mehr leuchtete mir ein, dass Autofahren nicht nur aus praktischen, sondern auch aus theoretischen, ja ästhetischen Gründen ein Unding ist. Beeinflusst in dieser Sicht hat mich womöglich eine Ausstellung mit dem treffenden Titel: «Alptraum Auto – Eine hundertjährige Erfindung und ihre Folgen», die im Winter 1986 im Münchner Stadtmuseum gezeigt wurde. Anhand Hunderter Bilddokumente wurde anschaulich gemacht, wie singulär das Auto zur systematischen Verhässlichung unserer Ort- und Landschaften beigetragen hat. Manchmal, wenn man auf einer vierspurigen Autobahn das Altmühltal durchquert, fällt einem ein, dass dies hier früher mal eine wunderschöne Landschaft gewesen sein muss, aber normalerweise denkt man nicht daran. Bei dieser Ausstellung wurde es einem vor Augen geführt: typische Ansichten unserer Städte – keine besonderen straßenbaulichen Sünden, sondern Alltag, Normalität, voll geparkte Marktplätze, eine durchschnittliche deutsche Stadtkreuzung, das Parkhaus unterhalb des Kölner Doms.

Die Massenmotorisierung ist verantwortlich dafür, dass sich eine gleichmäßige, autofreundliche Vorstadtlandschaft bis in die letzten Ecken des Landes ausbreiten konnte. Die Trennung zwischen Stadt und Land, wie sie über Jahrhunderte bis zum Beginn des Autozeitalters Mitte des 20. Jahrhunderts existierte, fing an, sich aufzulösen, die Städte fransten aus, abwechslungsreiche Dörfer verwandelten sich in gesichtslose Vorstädte mit Einfahrtschneisen und Umgehungsstraßen. Die Massenmotorisierung wurde zur deutschen Staatsideologie.

Im Jahr 1955 war die erste Million Volkswagen-Käfer

hergestellt, seitdem steigt der Pkw-Bestand unaufhörlich. 1958 waren bereits 3,1 Millionen Autos auf deutschen Straßen zugelassen, nur fünf Jahre später waren es bereits weit mehr als doppelt so viele, nämlich 7,3 Millionen, 1978 war die 20-Millionen-Marke überschritten, und 1986 konnte die gesamte Einwohnerschaft der alten Bundesrepublik bequem auf den Vordersitzen der über 30 Millionen angemeldeten Fahrzeuge Platz nehmen. Im Jahre 2004 schließlich waren rund 54 Millionen Fahrzeuge in Deutschland angemeldet. Parallel dazu wuchs der Straßen- und Autobahnbau, Helmut Schmidts auf einem breiten gesellschaftlichen Konsens fußende Forderung in den sechziger Jahren lautete: «Jeder Deutsche soll den Anspruch haben, sich einen eigenen Wagen zu kaufen. Deshalb wollen wir ihm die Straßen dafür bauen.» 1977 wurde im Auftrag des Bundesverkehrsministeriums ein «koordiniertes Investitionsprogramm für die Bundesverkehrswege bis zum Jahre 1985» aufgestellt, mit dem von allen drei maßgebenden politischen Parteien erklärten Ziel, dass es «kein Bundesbürger vom Wohnort weiter als 25 Kilometer zur nächsten Autobahnauffahrt» haben sollte. Die Anbindung an die Autobahn wurde zum Grundrecht des Deutschen.

Diese gezielte autofreundliche Politik hat dazu geführt, dass es in Deutschland fast fünf Millionen mehr Pkws als Haushalte gibt. In vielen Haushalten gehört die monatliche Rückzahlung des Kredits, den das Autohaus so freundlich war, zu arrangieren, oder die Leasingrate zu den größten finanziellen Belastungen. Und damit sich das auch ja nicht ändert, braucht man regelmäßig das neueste Modell: auf dem flachen Land, wo jeder Feldweg asphaltiert und die steilste Steigung weit und breit die Auffahrt zur eigenen Doppelgaragenhälfte ist, am besten einen allradgetriebenen Geländewagen; in der Stadt eine möglichst große

Limousine, das bringt Abwechslung ins Leben, denn beim abendlichen Parkplatzsuchen lernt man so Straßen und Gegenden seiner Heimatstadt kennen, in die man sonst nie kommen würde; und für den postpubertierenden Junggesellen einen sportlichen Zweisitzer, in dem man zum Beispiel am Wochenende mit Freunden Ausflüge ins Umland unternehmen kann, vorausgesetzt, sie besitzen ebenfalls einen Wagen.

Dass Autos auch dazu dienen können, schwere, sperrige Dinge zu transportieren oder Personen zu befördern, ist ein Nebeneffekt, den Autobesitzer gelegentlich durchaus zur Kenntnis nehmen. Aber Autos sind nicht mehr nur unsere Lieblingsspielzeuge, sie haben den Status von privilegierten Familienmitgliedern angenommen. Ein Fernsehspot von Opel hat das Dilemma auf den Punkt gebracht. Am Steuer sieht man einen lächelnden Mittdreißiger im braunen Cordanzug, schräg hinter ihm, auf dem Kindersitz, ein Kind, offenbar sein Sohn. «Papi, hast du dein Auto lieber als mich?», fragt er den Vater. «Nein, Philipp. Äh, ich meine Oliver. Mhm, Quatsch … Michael!» Die einzige mögliche Reaktion auf die Liebe, die in Deutschland dem Auto entgegengebracht wird, ist seine größtmögliche Geringschätzung.

Um die Zeit der «Alptraum Auto»-Ausstellung herum fiel mir dann auch noch das Buch Roald Dahls mit der Geschichte des Onkel Oswald in die Hände. Onkel Oswald, ein stilsicherer Bonvivant mit Zügen eines Eulenspiegel, hat stärkeren Einfluss auf mich ausgeübt als mancher meiner leiblichen Onkel. Er reiste mit einem Aphrodisiakum, dem Sudan-Käfer, in einer heiklen Mission um die Welt – und dies in einem Aston Martin Lagonda. Von da an verlor ich jegliches noch übrig gebliebenes Interesse an einem

Führerschein, denn einen Aston Martin Lagonda, so realistisch war ich, würde ich mir nie leisten können, er sei aber in Wahrheit das einzig wirklich schöne Auto.

Jahrelang schleppte ich mein Unbehagen an Autos mit mir herum und glaubte zuletzt sogar, ein Autohasser zu sein. Erst ein Gespräch mit Niklas Maak, dem Kunstkritiker und Auto-Philosophen, therapierte dies: Nur weil man Widerstand gegen die Massenmotorisierung leiste, sei man noch längst kein Autofeind, sondern müsse im Gegenteil sogar als ein wahrer Autofreund gelten. Autos seien nämlich als exquisite Genussmittel zu betrachten, zur bloßen Fortbewegung dagegen völlig ungeeignet. «So, wie man nicht jeden Tag eine Flasche Petrus oder Cheval Blanc wegsäuft, sollte man das Auto nur selten und dann bewusst fahren, und auch nur auf leeren Küsten- oder Bergstraßen», erklärte Niklas Maak mir. Das Problem seien nicht die Maserati oder Aston Martin, das seien eindeutig Genussmittel, sondern die Millionen Opel Corsa, VW Golf und 3er-BMW, die unsere Straßen verstopfen.

Ein Auto kann also nur ein völlig unnützes, rein zum Vergnügen bestimmtes Luxusobjekt sein, das man geradezu sinnlich liebt, oder ein reines Gebrauchsobjekt, mit dem man ohne Sentimentalitäten umgeht. Alles dazwischen ist fürchterlich spießig, riecht nach Wunderbaum und nassem Lammfellbezug. Doch genau genommen ist die Zeit der Luxusautos vorbei; ein massengefertigtes Produkt ist ja kein Luxusobjekt im strengen Sinn. Die ersten großen Stars der Film- und Unterhaltungsbranche der zwanziger Jahre ließen sich in Berlin mit Spezialanfertigungen chauffieren, die Schauspielerin Anna Heldt konnte in ihrem umgebauten Renault ein Dinner für drei Personen geben, der größte Kabarettstar der Zeit, Gaby Desly, ließ in ihrem Auto ein Badezimmer installieren und Phyllis

Dare, eine der größten englischen Schauspielerinnen der Stummfilmzeit, am Heck ihres Wagens einen Verschlag anbringen, dem beim Halten ein Diener entsprang. Wenn wir heute von Luxusautos sprechen, dann können dies allenfalls Modelle sein, die den Höhepunkt einer bestimmten Designepoche repräsentieren, Raritäten geworden sind und nicht von jedem zweiten Diskothekenbesitzer gefahren werden.

Jemand mit wenig Geld und exquisitem Autogeschmack hat also eine enge Wahl. Die meisten Autos, die sich als Genussobjekte eignen, sind sehr teuer. Ein Bekannter von mir, der eine Leidenschaft für Luxuslimousinen hat, sich aber eigentlich nur einen Kleinwagen leisten könnte, spielte mit dem Gedanken, sich eines dieser gebrauchten russischen Nomenklatura-Autos zu kaufen, fand sie aber hässlich und stieß eines Tages nach langem Suchen auf einen ausrangierten Ambassador, ein Auto, das der indische Botschafter in Bonn zurückgelassen hatte. Mein Bekannter fährt nun eine Limousine jener Marke, die auch Indira Gandhi als Staatskarosse nutzte, sticht jeden Fahrer eines ordinären Mercedes in puncto Exklusivität aus – und das alles für den Preis eines Renault Twingo. Aber das ist ein Sonderfall. Einen Ambassador findet man nicht einfach so im Automarkt der «Welt am Sonntag». Und geschmackvolle Sportwagen, die im Erschwinglichkeitsradius Verarmender liegen, sind ebenfalls selten. In Frage käme der Alfa Romeo 2000 GTV, dessen Motor klingt wie ein staubiger römischer Sommer, oder ein Porsche 911 Targa (Cabriolet), Baujahr 1973.

In der Kategorie «Gebrauchsobjekte» ist die Auswahl für den Verarmenden, der aus irgendwelchen widrigen Gründen nicht auf ein Auto verzichten kann, natürlich größer, weil man, solange man mit einer gesunden Verachtung an ein Auto herangeht, kaum Stilfehler begehen kann. Jeder noch so fürchterliche Wagen kann charmant wirken, wenn man ihn nur genug gering schätzt. Sehr viel lernen kann man in dieser Hinsicht von den Italienern: In Italien werden die schönsten Autos der Welt entworfen, doch wer wirklich etwas auf sich hält, benutzt einen Kleinwagen, der auch nur dann wirklich Snobappeal hat, wenn er etwas schäbig ist und Dellen aufweist.

Der Preis für die beiläufigste und zugleich überzeugendste Geringschätzung, die man seinem Auto entgegenbringen kann, gebührt einer Freundin von mir, Charlotte. Sie ist eine der stilsichersten Damen, denen ich je begegnet bin, dennoch (oder gerade deshalb?) fährt sie nie teure Autos und lässt sie grundsätzlich verslumen. Als ich einmal bei ihr mitfuhr, reichte mir der Müll bis knapp unter die Kniekehlen. Anhand der Abfälle um sich herum konnte man mühelos die Lebensgewohnheiten der Menschen, die sie mitgenommen hatte, zurückverfolgen. Drei Jahre später saß ich wieder bei ihr auf dem Beifahrersitz und erinnerte mich, dass ich damals, als ich zuletzt mit ihr gefahren war, ein Feuerzeug verloren hatte. Und tatsächlich fand ich es in der Schicht von 1997 unversehrt.

In unseren Breiten gab es lange Zeit nur zwei Autos, mit denen man signalisieren konnte, dass einem Autos eigentlich völlig egal sind, man aber eines braucht, um zwischen Tübingen und dem elterlichen Zuhause zu pendeln: der Renault 4 und der Citroën 2 CV («Dö-Schewo»), auch Ente genannt. Beides waren Anti-Autos in ihrer höchsten Vollendung. Als der R 4 auf den Markt kam, machten ihn die Fachjournalisten als «höchste Evolutionsstufe des Regenschirms» lächerlich, in Wahrheit bewies der R 4, dass man durch das Einsparen jeglichen Schnickschnacks, durch die Rückführung auf die bare Funktionalität ein recht geschmackvolles Auto machen kann. Eines noch dazu, das im Unterschied zur Ente nicht unbedingt als ein Statement für Räucherstäbchen und gegen Atomkraft gedeutet werden musste. Der R 4 verzichtete auf politische Aussagen und war in allererster Linie ein in seiner Schlichtheit kaum zu überbietendes Fortbewegungsmittel, ein benzingetriebenes Understatement.

Ente und R 4 gibt es nicht mehr. Derart preisgünstige Autos wurden seither nie mehr gebaut. Zwar wetteifern die europäischen Automobilkonzerne darum, wem es zuerst gelingt, ein Auto zu entwickeln, das weniger als 5000 Euro kostet; mit ihm soll der chinesische Markt erobert werden – und der heimische Markt, denn auch hier gehöre den Billigstautos, die möglichst wenig Benzin verbrauchen, die Zukunft, sagen die Manager der Automobilindustrie. Viel wahrscheinlicher ist aber, dass Autofahren in absehbarer Zeit nicht immer erschwinglicher, sondern immer teurer wird. Bald schon so teuer, dass jeder, der auf ein Auto zu verzichten gelernt hat, sich glücklich schätzen kann. Am Ende der Wohlstandsgesellschaft, zu dem das Automobil so viel beigetragen hat, wird es zum Glück wieder zu dem, was es in seinen Anfangsjahren war: ein törichter Luxus.

«It's a little bit démodé, eh?»

KARL LAGERFELD
übers Reisen

Urlaub macht dumm

Argumente gegen Ferienreisen

Wissenschaftliche Untersuchungen haben längst nachgewiesen: Fast jeder kommt dümmer aus dem Urlaub zurück,
als er hineingefahren ist. Wer drei Wochen Ferien macht,
ohne sich geistig wach zu halten, dessen Intelligenzquoti-
ent liegt bei seiner Rückkehr nachweislich rund drei Prozent niedriger als vor seiner Abreise. Wie schlimm steht
es dann erst um das, was vom Jet-Set übrig geblieben ist,
bei anzunehmenden zehn verdummungsrelevanten Ferien-
fahrten pro Jahr. Das würde bedeuten, dass man, wenn
man die Saison hinter sich gebracht hat – Frühjahr in
Capri, Sommer in Porto Cervo, Herbst in Marbella, Winter
im Engadin –, bis zu 30 Prozent seines IQs eingebüßt haben kann.

Die unverschämte Anziehungskraft, die Reisen in ferne
Länder, das süße Leben am Strand, Kreuzfahrtschiffe und
Luxushotels, exotische Drinks am Swimmingpool und
ähnliche Klischees auf uns ausüben, ist hauptsächlich das
Ergebnis der von der Bewusstseinsindustrie verbreiteten
abwegigen Vorstellung, Reisen sei an sich schon begehrenswert oder glamourös.

Seitdem es das Wort «Tourismus» gibt – 1810 taucht es
zum ersten Mal in einem Wörterbuch auf –, wird der Tou-

rismus verhöhnt. Keine dreißig Jahre später schon beschwerte sich Fontane: «Zu den Eigentümlichkeiten unserer Zeit gehört das Massenreisen. Sonst reisten bevorzugte Individuen, jetzt reist jeder und jede.» Dabei ist das Gerede von der «guten alten Zeit» des Reisens völliger Humbug. Hektisches Hin- und Herrasen war früher etwas für Kuriere, Pilger, Verbrecher, Wegelagerer und Kaufleute. Es war auch nie ein Vergnügen, sondern vor allem eins: gefährlich. Bevor man eine lange Reise tat, ließ man eine Messe lesen, und wer sich verabschiedete, rechnete damit, nicht zurückzukehren. Eine Reise zu unternehmen, ohne triftige Gründe dafür zu haben, also nur um des Reisens willen, war bis zum Beginn des modernen Zeitalters um die Mitte des 19. Jahrhunderts eine Absurdität.

Dieses absurde Um-seiner-selbst-willen-Reisen war eine Erfindung unterbeschäftigter dritter oder fünfter Söhne reicher englischer Familien. Das Bürgertum sah, wie die Abenteurer aus der Oberklasse mit Knickerbockerhosen auf Almen herumkraxelten und mit aufgeschlagenen Handbüchern um irgendwelche Ruinen herumschritten – und imitierte sie. Das, was wir heute Tourismus nennen, ist eine logische Weiterentwicklung des angeblich ehemals mondänen, tatsächlich aber schon immer grotesken Globetrottings englischer Snobs. Völlig abwegig ist daher der Versuch, das Gentleman-Erlebnis von anno dazumal zu imitieren.

In Kenia zum Beispiel steht, mitten im Busch, malerisch an einem nilpferdbevölkerten See gelegen, die «Finch Hutton Lodge», die Rekonstruktion eines Jagdlagers, wie Deny Finch Hutton, der englische Supersnob, sie dort angeblich zu errichten pflegte. Persische Teppiche, Bordeaux in der Kristallkaraffe, Mahagonitische, alles im Zelt. Anders als in Sydney Pollacks Film «Jenseits von Afrika», in dem

Finch Hutton, gespielt von Robert Redford, ein geistreicher Charmeur ist, war der Arme in Wirklichkeit allerdings ein ziemlich tuntiger Exzentriker, der sich in Kenia aufgeführt haben muss, wie man sich Rudolph Moshammer beim Afrika-Urlaub vorstellt. Den Typus exzentrischer Gentleman schwemmte es im Fin de Siècle des englischen Kolonialismus zu Hunderten in ferne Länder, was ein verlässliches Vorzeichen dafür war, dass das britische Empire seine besten Jahre gesehen hatte.

Inzwischen ist aus dem extravaganten Zeitvertreib verwöhnter und gelangweilter englischer Snobs eine Massenindustrie geworden, mit jährlich weltweit zehn Milliarden Touristen. Sie leisten ihre Strandurlaube in Bettenburgen ab und «lassen die Seele baumeln», die dabei leicht seekrank wird, oder unternehmen rastlos Städtereisen, bei denen sie von einer Sehenswürdigkeit zur anderen hetzen, jeden Turm besteigen, jedes Rathaus besichtigen, bis sie vor Müdigkeit umfallen – unter all den Dingen, für die der mitteleuropäische Wohlstandsbürger viel Geld ausgibt, bereiten Urlaubsreisen ihm das größte Unbehagen.

Völlig irrational ist auch, dass man das ganze Jahr über spart, um dann in den Ferien plötzlich achtlos mit dem Geld um sich zu werfen («Wir sind schließlich im Urlaub!») und sich zu ärgern, dass die ersehnte Erholung nicht in dem Maße zunimmt, wie das Portemonnaie sich leert. Dem Spielgeld-Syndrom, das Deutsche auf Reisen nach Österreich, Italien, Griechenland oder Spanien regelmäßig befiel, ist zwar gottlob durch die Einführung des Euro ein wenig Einhalt geboten worden, aber immer noch gehört es zu den Hauptattraktionen jeder Urlaubsreise, sich in Touristenfallen ausnehmen zu lassen und das mit derselben Gleichgültigkeit zu schlucken wie die überzuckerten, rumhaltigen Getränke und fuseligen Weine, die man daheim nie anrühren würde. Dafür freut man sich über den «Luxus», im Hotel zu wohnen.

Die Verklärung des Hotels als Oase der Mondänität ist ebenfalls eine Erfindung der Unterhaltungsindustrie. Stadthotels waren die längste Zeit der Hotellerie-Geschichte Notunterkünfte für Menschen, die am Ort niemanden kannten. Und genau das sind sie heute wieder. Mondän waren Luxushotels, wenn überhaupt, nur in der kurzen Phase zwischen ihrer Gründung um 1910 und dem Beginn des Weltkriegs, also ganze vier Jahre. Damals galten sie – wie Kreuzfahrtschiffe – als sensationelle Neuerungen und wurden auch von der höchsten und allerhöchsten Schicht begutachtet. Nach dem Ersten Weltkrieg erblühte die Hotelkultur noch einmal zwischen Mitte der zwanziger Jahre und der Weltwirtschaftskrise 1929, dann war die Zeit der großen Luxushotels endgültig passé. In den global agierenden Hotelketten wurde der Komfort völlig homogenisiert. Ein teures Hotelzimmer in Wolfsburg sieht exakt so aus wie in Kuala Lumpur oder Vancouver, ist aber – obwohl es laut Katalog zur «Superior-Deluxe»-Kategorie gehört – ebenso klein wie das Doppelbettzimmer in der Pension garni in Gummersbach. Es läuft ein winziger Fernseher, der auf der Minibar postiert ist, in der sich Apfelsaft, Orangensaft, Becks Bier, Mineralwasser und Salzletten befinden. Die Fenster lassen sich nicht öffnen, aber es gibt eine laute Klimaanlage. Und außer man ist in einem arabischen Land, steht auf dem Fernseher ein Schild mit Hinweis auf den hauseigenen Pornokanal.

Schlimmer als Stadthotels sind nur noch die Ferienhotels. So könnte auch die Hölle aussehen: eine künstliche Piazza im «italienischen Dorfstil» (obwohl, Moment, wir sind doch in Sharm El-Sheikh?), um die sich wie zufällig ein paar immer offene Shops und sieben verschiedene «all inclusive»-Restaurants befinden. Die Kinder werden während des Aufenthalts durch Kids-Klubs und Exkursionen systematisch von den Eltern fern gehalten. Die Anlage ist so konzipiert, dass es dem Gast – außer für organisierte Ausflüge – möglichst unattraktiv erscheint, das umzäunte Gelände zu verlassen, dafür haben die Hotelmanager den Ehrgeiz, eine idealisierte Version der Wirklichkeit innerhalb des Resorts zu schaffen.

Am sichersten jedoch ist man vor Störungen durch die reale Welt auf einer Kreuzfahrt. Kreuzfahrten sind gleichsam die Reinform des Cluburlaubs. Einmal habe ich – nicht etwa zum Vergnügen, sondern aus rein journalistischen Gründen – eine Reise auf einem der größten Kreuzfahrtschiffe unternommen, das noch nicht mit einem Eisberg kollidiert ist, der «Coral Princess». Sie hat etwa 120 000 Bruttoregistertonnen. Bruttoregistertonnen sind die wesentliche Maßeinheit eines Schiffes, danach berechnet sich die Menge an Süßspeisen, die an Bord mitgeführt werden können.

Für Menschen, die das Maritime lieben, sind Kreuzfahrten ideal, denn man kann von morgens bis abends traditionellen Bordaktivitäten nachgehen, nämlich Frühstück, Mittagessen, Kaffee und Kuchen, Abendessen und Mitternachtsdinner. Die etwa zwanzig Minuten zwischen den Mahlzeiten lassen sich mühelos mit Snacks überbrücken, dafür steht rund um die Uhr im «Bord-Bistro» ein Büfett zur Verfügung, an dem schätzungsweise zwei Drittel der Weltkalorienvorräte angeboten werden. Das wirklich Erschreckende ist, dass man sich keines der Menüs entgehen lässt, schließlich sind sie im Preis inbegriffen.

Wenn man endlich das Gewicht eines Kleinwagens auf die Waage bringt, läuft man einen Hafen an, bleibt dort

aber nicht länger als drei, vier Stunden, weil die Liege-
gebühren zu hoch sind und jede zusätzliche Minute die
kalkulierte Gewinnspanne des Charterunternehmens ge-
fährden würde. Man wird in die bereitstehenden Busse
gepfercht, um rasch «typische» Werkstätten der Eingebore-
nen zu besichtigen, wo man Holzschnitzereien kaufen
kann, die komischerweise in Jamaika exakt so aussehen wie
in Taormina und wahrscheinlich allesamt in Hongkong
oder Taiwan hergestellt werden. Auf den meisten großen
Schiffen gibt es Minigolfplätze, Swimmingpools und
Fitnessräume, doch die werden nicht genutzt, weil der
«Bord-Shop» ständig offen ist. Hier kann man zollfrei einkaufen, was bedeutet, dass man für Sachen, die man nicht
braucht, ein wenig mehr zahlt als im Einkaufszentrum zu
Hause, dafür aber eine Plastiktüte erhält, auf die die Worte
«Duty Free» gedruckt sind. Stehen die Passagiere solcher
Kreuzfahrtschiffe nicht gerade im «Bord-Shop» oder im
«Bord-Bistro» an, liegen sie am Sonnendeck und versuchen,
so schnell wie möglich den Teint von Michel Friedman zu
erhalten. Kreuzfahrten werden wahrscheinlich vor allem
deshalb hauptsächlich von Rentnern in Anspruch genommen, weil nur sie sich zu Hause in Ruhe von einer solchen
Reise auskurieren können.

Wer noch weniger Wert auf Erholung legt, dem sei eine
Flugreise empfohlen. Das fängt schon damit an, dass man
gegen vier Uhr morgens aufstehen muss, um rechtzeitig
zum Flughafen zu kommen, denn die wichtigste Vorschrift
des europäischen Luftverkehrs lautet, dass Passagiere mindestens eine Stunde vor dem Eincheckschalter Schlange
stehen müssen und anschließend zwei Stunden am Flughafen zu verbleiben haben, um dem Shoppingangebot
nicht zu entgehen. Hat man es endlich ins Flugzeug, auf

Platz 84 G, geschafft – mit Miss Piggie auf der einen und Jabba the Hutt auf der anderen Seite, der nicht nur die Armlehne, sondern auch die Hälfte der eigenen Sitzfläche beansprucht –, besteht der Hauptehrgeiz des Bordpersonals darin, darauf zu achten, dass keiner der Passagiere die Rückenlehne seines Sitzes verändert.

Die Regel, dass die Lehnen bei Start und Landung senkrecht zu stehen haben, wird aus reiner Schikane aufrechterhalten, da es bei den drei Millimetern Spielraum, den sie nur noch haben, sicherheitstechnisch keinen Unterschied macht, ob man mit senkrechtem oder minimal angewinkeltem Sitz in Turbulenzen gerät. Aber wahrscheinlich würden die Stewardessen lieber auf einen Teil ihres Gehaltes verzichten als auf die Gelegenheit, die Passagiere damit zu kujonieren.

Durch das Internet kann man solche Flüge mittlerweile bequem von zu Hause aus buchen, und so ist ein neuer Typus Vielflieger entstanden. Über Pisa, Prag oder Barcelona brechen nun täglich Horden von betrunkenen Wochenendreisenden aus Manchester oder London-Stansted herein. Für britische Lagerlouds ist es preiswerter, übers Wochenende nach Prag zu fliegen und sich dort voll laufen zu lassen, als dies im örtlichen Pub zu tun. Dann torkeln sie über den Wenzelsplatz oder hängen ihre Köpfe über die Karlsbrücke, weil sie tschechisches Pils nicht vertragen. In südlichen Ländern kommt es unter britischen Touristen, nach Alkoholexzessen in der Hitze, jedes Jahr zu Todesfällen. Und natürlich immer wieder zu Massenschlägereien. Allein an der spanischen Mittelmeerküste werden jedes Jahr etwa 600 unter Alkoholeinfluss randalierende Briten verhaftet. Und als im Sommer 2003 auf der Trinkmeile der schönen Insel Korfu eine englische Touristin, angefeuert von Hunderten johlenden Betrunkenen, mitten auf der Straße Oralsex an einem anderen Engländer vollzog, kam es in Griechenland zu einem landesweiten Aufschrei.

Eine Zeit lang, in den siebziger oder achtziger Jahren, war Vielfliegerei mit gesellschaftlichem Prestige verbunden. Gerne erinnere ich mich an einen verstorbenen Freund der Familie, Bobsi, der manchmal einen Stapel Flugtickets aus der Brusttasche holte und dabei ächzte und stöhnte, dass er morgen über Mexico City nach La Paz und drei Tage später nach Bogotá müsse und erst in zwei Wochen zurückkommen könne, aber dann gleich nach Paris müsse. Wer heute so was macht, wird ausgelacht. Vielflieger werden bestenfalls bemitleidet, meist jedoch einfach als Ärgernis empfunden. Sie bezahlen Flüge in den seltensten Fällen aus eigener Tasche, weil sie auf Kosten ihrer Firma so viele Meilen abgeflogen haben, dass sie für den Rest ihres Lebens ihre privaten Flüge über ihr Meilenkonto abrechnen können, drängeln sich mit wichtigem Gesicht am Schalter vorbei und brüllen Dinge in ihr Handy wie: «Sag allen, dass ich das Meeting nicht schaffe!»

Aus anthropologischer Sicht schade ist übrigens, dass es die in diesem Zusammenhang zu erwähnende Spezies Concorde-Reisender nicht mehr gibt. Das war wirklich sein Geld wert, als man noch in London-Heathrow durch eine Glasscheibe hindurch beobachten konnte, wie Kate Moss und siebzehn dunkel gekleidete Herren mit finsterem Blick von attraktiven Stewardessen zu ihrem Dreieinhalb-Stunden-Flieger nach New York geleitet wurden. Und wie sie dann eine halbe Stunde später, allesamt zornesrot, zurück in die Lounge kamen, weil ein «technischer Defekt» aufgetreten sei.

Da es dem Typus Billigreisender ebenso aus dem Weg zu gehen gilt wie dem Vielflieger, ist es verständlich, dass in den drei wichtigsten Tourismusmärkten der Welt – Nord-amerika, Deutschland und Japan – Nichtfliegen inzwischen als Statussymbol gilt. Wer heute etwas auf sich hält, ist Reisemuffel. Wer von seinen Abstechern nach «Äll Ey» oder «Nuu York» erzählt oder von den «Traumstränden auf Bali» schwärmt, macht sich nur noch lächerlich. Dass sich das Glück nicht mit TUI buchen lässt, sickert langsam durch. Deswegen werden die, die weniger Geld haben, es den Reichen bald nachmachen und ebenfalls auf das Reisen blasiert herabschauen. Das nennt man Trickle-down-Effekt.

Die einzige Form des Reisens, die noch erträglich ist, sind längere Aufenthalte. Der große Philosoph Nicolás Gómez Dávila sagte: «Nur der intelligente Mensch und der Einfältige verstehen es, sesshaft zu sein. Die Mediokrität ist unruhig und reiselüstern.» Wer aber für mehrere Wochen oder gar Monate in ein fremdes Land zieht – um Erfahrungen zu sammeln, zu arbeiten oder zu studieren oder auch nur, um Freunde zu besuchen –, reist nicht im modernen, rastlosen Sinne. Diese Art des Reisens war tatsächlich früher mondän, das taten sogar Kaiser und Könige, indem sie von Residenz zu Residenz übersiedelten. Und die Prinzen wurden an fremde Höfe verschickt, um dort die Welt («le monde») kennen zu lernen und dadurch jene Weltläufigkeit zu erreichen, die man «mondän» nennt.

Die moderne Version dieser Kavalierstour ist das Gap-Year, das sich Schulabsolventen nehmen, oder das Sabbatical, die vorübergehende Auszeit für Studenten oder Berufstätige: Sie ziehen für ein halbes Jahr irgendwo nach Asien oder Afrika und erfahren so viel eher etwas über die Kultur um sie herum als bei einem banalen Urlaub. Nur wenn man bis zu einem gewissen Grad Bestandteil einer

Kultur wird, statt sie lediglich zu besichtigen, kommt man ihr näher.

Längere Aufenthalte im Ausland sind für Verarmende schon deshalb zu empfehlen, weil die laufenden Kosten jedes noch so sparsam agierenden Kerneuropäers derart hoch sind, dass man bei einem Auslandsaufenthalt sogar Geld sparen kann, wenn man seine eigene Wohnung in der Zeit untervermietet. Ein Monat Prassen in Istanbul oder Kairo jedenfalls ist sehr viel preiswerter als eine Woche Sparen in München. Zwar sind klassische Bohemiens-Ziele wie Paris zu teuer geworden, dafür sind andere Städte auf der Landkarte hinzugekommen: Tallinn, das alte Reval, zum Beispiel, eine völlig erhaltene mittelalterliche Stadt, wie es sie in ganz Deutschland nicht gibt. Oder Sofia. Die Bahn bringt einen, wenn man rechtzeitig bucht, sehr preiswert dorthin. Man nimmt den Intercity nach Belgrad, steigt dort um und kommt nach etwa vierundzwanzig Stunden abenteuerlicher Zugreise in einer Stadt an, in der ein ehemaliger Zar regiert, in der die ältesten Kirchen Europas zu sehen sind, dazwischen Moscheen und orientalische Märkte, die U-Bahn hat Fenster mit Gardinen und der Kaffee schmeckt besser als irgendwo sonst auf der Welt.

Bis in die sechziger und siebziger Jahre gab es in jeder europäischen Stadt Hunderte ältere Damen, die Zimmer ihrer zu großen Wohnung untervermieteten oder kleine Pensionen unterhielten. Solche Orte müssen, wenn man den literarischen Erzählungen glaubt, oft sehr sinister und schäbig gewesen sein, aber sie boten verkrachten Existenzen und natürlich Künstlern und Studenten eine billige Unterkunft. Heute kann man in den meisten Städten kleine Wohnungen für ein paar Wochen oder auch Monate mieten und zahlt nur einen Bruchteil dessen, was man selbst für eine günstige Pension ausgeben würde. Außerdem hat man – da es keine ältere Dame gibt, die einem Frühstück serviert – den Vorteil, als Selbstversorger in das Leben der fremden Stadt eintauchen zu können, schon weil man gezwungen ist, die Lebensmittelläden oder den Markt nicht mit den Augen eines Urlaubers, sondern mit denen eines Einheimischen aufzusuchen.

Solche Reisen sind also durchaus eine Bereicherung des Lebens, allerdings unternimmt man sie naturgemäß nicht vier-, fünfmal im Jahr. Viel wichtiger als ein Ortswechsel ist, dass man mit offenen Augen durch die Welt geht, statt sich als Tourist durch sie hindurchzuzappen. Daher kann das Zuhausebleiben gegenüber dem «in Urlaub fahren» nicht hoch genug gepriesen werden. Bleibt man zum Beispiel in den Ferien in seiner Heimatstadt, erspart man sich den Besuch der örtlichen Sehenswürdigkeiten. Noch nie war ein Pisaner oben auf dem Schiefen Turm oder ein Pariser auf dem Eiffelturm. Doch als Tourist tut man sich das alles an, wahrscheinlich um die tief schlummernde Gewissheit zu bekämpfen, dass Urlaubsreisen sinnlos sind, und durch das so genannte Sightseeing versucht man, das zu überspielen.

Um glücklich zu sein, darf man sich seine Träume nicht von der Freizeitindustrie vorgeben lassen, sondern sollte seine eigenen, erreichbaren entwerfen. Man muss vielleicht nicht so weit gehen wie Jean Floressas Des Esseintes, der Held von Huysmans' «Gegen den Strich», aber ein bisschen lernen kann man von ihm schon. Des Esseintes, der zurückgezogen lebende, hypersensible Abkömmling eines alten französischen Adelsgeschlechts, lehnt Reisen völlig ab, weil er in seinem Haus außerhalb von Paris alles hat, was er braucht. Eines Tages, nach der Lektüre von Dickens, fängt er doch an, von einer Reise zu träumen. Er will nach

England. Also bittet er seinen Diener, die Koffer zu packen, und erklärt dem erstaunten Mann, dass er erst in einem Jahr oder ein paar Monaten oder auch nach ein paar Wochen zurückkehren werde, so genau wisse er das nicht.

Des Esseintes besteigt den Zug nach Paris und lässt sich, dort angekommmen, in die Rue de Rivoli fahren, um sich einen Baedeker über London zu kaufen. Der strömende Regen weckt in ihm Vorahnungen an seine bevorstehende Reise. Bevor er weiterreist, will Des Esseintes noch rasch in einer Bar ein, zwei Gläser englischen Portwein trinken, danach geht er in ein englisches Restaurant, wo er inmitten von Engländern sitzt, isst und Ale trinkt. Nach all dem vielen Essen, den Gerüchen, den Geräuschen, dem Portwein und dem Ale wird Des Esseintes träge und verpasst den Zug nach Dieppe, von wo er sich einschiffen wollte. Überglücklich, sich die anstrengende Reise erspart und dennoch so viel erlebt zu haben, nimmt er den Zug zurück nach Hause, ohne dies auch nur im Geringsten zu bedauern. In seiner Phantasie hatte er sich längst in England befunden, der Regen, der Nebel, das Gedränge der Stadt: «Wozu jetzt noch durch einen ungeschickten Ortswechsel unvergänglicher Eindrücke verlustig werden?» Wenige Stunden nach seiner Abfahrt steht er mit seinen Koffern, Paketen, Taschen und Stöcken vor seinem erstaunten Diener, mit der Erschöpfung eines Menschen, der nach einer langen und gefährlichen Reise endlich wieder nach Hause kommt.

Ähnlich wie Des Esseintes machen es offenbar auch immer mehr Italiener, nur leider mit einer falschen Scham. In Italien gibt es ein Phänomen, das sonst von nirgendwo in Europa bekannt ist: Urlaubsvortäuscher. Der Anrufbeantworter wird eingeschaltet, die Zimmerpflanze beim Nachbarn abgegeben, der Kühlschrank mit Essen voll gestopft, die Kinder stellt man mit Videos ruhig, und dann verlässt man das Haus zwei Wochen nicht. Angeblich täuschen etwa drei Millionen Italiener jährlich ihren Urlaub nur vor, weil sie sich dafür schämen, dass sie nicht genug Geld haben, um zu verreisen. Kann denen bitte mal jemand ausrichten, dass sie zur Avantgarde gehören, wenn sie nicht in Urlaub fahren?

«Mein Pin-up-Model ist der Herzog von Devonshire: Seine Manschetten und seine Krägen sind so abgewetzt, als gebe er seine Kleidung immer erst dem Gärtner, damit er sie ein Jahr lang einträgt. Da seht ihr es, was Stil bedeutet!»

LADY RENDLESHAM
(1973 in einem Interview in der «Times»)

Des Kaisers alte Klamotten
Der Nouveau-Pauvre-Chic

Dies wird ein kurzes Kapitel, weil über Kleidung viele Worte zu verlieren fast so schlimm ist, wie schlecht angezogen zu sein. In dem Moment, in dem man sich zu viele Gedanken über die eigene Kleidung macht, ist man schon, zumindest als Mann, daneben, um es für unsere jüngeren Leser zu buchstabieren: uncool. Das liegt daran, dass jede Nonchalance verloren geht, wenn offensichtlich ist, dass man zu oft zwischen Spiegel und Kleiderschrank hin und her gerannt ist. Kleider machen keine Leute. Man kann einen noch so perfekt geschnittenen Anzug mit dazu passendem Hemd, einer Seidenkrawatte und den teuersten Schuhen tragen – wenn man sich darin unwohl fühlt, sieht man aus wie der Dalai-Lama in Bermudashorts. Eleganz ist vor allen Dingen eine Frage, wie man etwas trägt, nicht was man trägt. Daher existieren keine in Stein gemeißelten Regeln, die für alle Menschen anwendbar sind.

Für einen Freund von mir etwa gilt: Wenn er sich wirklich elend fühlt, gibt es nur eine Therapie, die ihm hilft: Er wirft sich in Schale. Im Sommer, bei 32 Grad Celsius im

Schatten, mit einem überzogenen Konto und leichtem Hang-over, wenn alle andern in kurzen Hosen und T-Shirt herumlaufen, ist für ihn die ideale Kleidung in der Stadt ein heller, dünner Anzug und Krawatte. An so einem Tag ist das das Einzige, was ihn aufpäppelt. Je heißer es ist und je mehr er auseinander zu fließen droht, desto mehr hält ihn die Krawatte zusammen. Ein anderer Freund muss täglich einen Anzug tragen, wenn er im Büro ist, und sieht darin immer ein bisschen verkleidet aus; erst am Wochenende in Jeans und Sweatshirt wirkt er elegant.

Die wichtigste Regel lautet: Trage deine Kleidung und lass nicht zu, dass deine Kleidung dich trägt. Nur wer seine Kleidung im gesunden Maße gering schätzt, kann elegant aussehen. Daher ist es in den meisten Fällen besser, «under-dressed» als «overdressed» zu sein. Auch gibt es Leute, die mit ihrer Kleidung aufdringliche Mitteilungen machen wollen: Schau mal, ich bin jung! Oder: Schau mal, ich trage nur das Teuerste! Oder eben auch: Schau mal, meine Klei-dung kümmert mich einen Dreck! Aber die Kleidung soll-te eben nicht die Aufmerksamkeit auf sich ziehen.

Sich bewusst nachlässig zu kleiden hat ebenfalls nichts mit Stilsicherheit zu tun. Alles, was bemüht wirkt – ob be-müht nachlässig oder bemüht herausgeputzt –, ist ein Hin-dernis für Eleganz, die immer ungezwungen scheinen muss. Wer so aussieht, als sei er soeben frisch vom Herren-ausstatter eingekleidet worden, ist indiskutabel; er strahlt die Mühe aus, die es bedeutet, sich neue Kleidung zuzule-gen. Mindestens ebenso stillos ist der Pseudodandy, der auf eine abgerissen-elegante Erscheinung Wert legt; man spürt, er hofft darauf, dass man seine Bemühungen auch würdigt. In Berlin kenne ich einen Galeristen, der mit aller Gewalt versucht, wie ein verarmter englischer Landadeliger auszu-sehen. An den Ärmeln seiner Jacken befinden sich grundsätzlich Lederflecken, obwohl ganz offensichtlich ist, dass seine Jacken zu neu sind, um abgewetzt zu sein. Gut zu ihm passen würde ein Landrover, an dem er manchmal etwas Lehm anbringt, damit es so scheint, als käme er gerade von seinem Landsitz.

Übrigens finde ich, dass man als Mann ab einem gewissen Alter seine Garderobe beisammenhaben und Kleidungskauf nur noch nötig sein sollte, um das zu ersetzen, was man partout nicht mehr tragen kann, ohne sozial auffällig zu werden. Wer sich nicht an diese Maxime hielt, war Rudolf Scharping, der sich von Moritz Hunzinger im teuersten Herrenbekleidungsgeschäft von Kopf bis Fuß neu ausstaffieren ließ. Er machte sich dadurch so lächerlich, dass das sicher der wahre Grund für seinen Rücktritt als Verteidigungsminister war.

Bei Frauen ist das natürlich etwas anders. Werner Sombart ging ja sogar so weit, die Frauen wegen ihrer angeblichen Verschwendungssucht für die Entstehung des Kapitalismus verantwortlich zu machen. Ohne den Süßigkeitswahn der Frauen im 15. und 16. Jahrhundert, behauptet Sombart, wäre der Welthandel mit Zucker, Kakao, Kaffee und Tee nie in dem bekannten Ausmaß forciert worden. Der Handel mit diesen Luxusgütern und deren Produktion in den Kolonien spielten die zentrale Rolle in der Entwicklung des Kapitalismus. Der Geist der Moderne ist nach Sombart aus dem Geist der Verschwendung geboren, und dieser Geist sei Teil des «weiblichen» Elements in der Weltgeschichte.

Wenn ich mir den Schuhschrank meiner Frau anschaue, kommt mir Sombarts Sicht plausibel vor. Obwohl ich auch bei ihr gewisse Ermüdungserscheinungen festgestellt habe. Neulich sagte sie den Satz «Ich habe genug Schuhe» und liegt damit, wenn man sich die Zahlen im Einzelhandel ansieht, offenbar im Trend. Auch die meisten ihrer Freundinnen haben die Phase des Kleidchen-Kaufens-und-im-Schrank-Vergrabens hinter sich, weil Kleidungskauf als Beschäftigungstherapie zu kostspielig geworden ist. Interessanterweise bedeutet das bei keiner von ihnen, dass sie heute schlechter angezogen sind als zu der Zeit, als sie viel Geld für teure Designerlabels ausgaben.

Es gibt für Frauen, die große Freude an schönen Kleidern haben, verschiedene Strategien, um bei schwindenden Mitteln weiterhin so gekleidet zu sein, dass man ihnen ihre Sparsamkeit nicht ansieht. Madame Errazuriz zum Beispiel übte den größten Einfluss auf den Designer Christian Dior aus und galt einst als Stildiktatorin von Paris, war aber arm wie eine Kirchenmaus. Angeblich stammte sie aus Konstantinopel, jedenfalls war sie als Flüchtling nach Paris gekommen und wohnte in einer winzigen, sehr eleganten Wohnung in der Avenue Victor Hugo. Sie weigerte sich, von Dior einen Centime anzunehmen, lebte von gelegentlichen Beiträgen für Modezeitschriften, und einmal im Jahr durfte sie sich bei Dior ein Haute-Couture-Kleid aussuchen, das sie dann ein Jahr lang zu jedem gesellschaftlichen Ereignis trug, zu dem sie sich zu gehen verpflichtet sah. Die Sparsamkeitsregel der Madame Errazuriz lautete: Wer nicht viel Geld hat, muss besonderen Wert auf Qualität legen, denn er braucht Kleider, an denen er sich nicht satt sieht und die nicht so schnell verschleißen. Vielleicht konnte sie das aber nur behaupten, weil sie mit Dior befreundet war.

Meine Schwester Maya dagegen macht sich einen Sport daraus, bei ZARA, H&M oder Top Shop einzukaufen und dabei so auszusehen, als sei alles von Joseph oder Gucci. Der Trick, sagt sie, ist: Alles muss billig sein, bis auf ein

Stück, und das hat man aus dem Ausverkauf oder sec[ond]-hand. Eines der schönsten Kleidungsstücke meiner Fra[u], einen japanischen Seidenmantel, in dem sie immer perfek[t] angezogen ist, egal, ob wir auf eine Hochzeit gehen oder auf eine Cocktailparty, hat sie für 30 Euro in einem Secondhandshop in München gefunden. Neben solchen Läden hat sich eine weitere Kleidungsquelle für Frauen mit schwindendem Budget, aber gleich bleibendem Geschmack ergeben: Hand-me-downs. Zwischen den Freundinnen meiner Frau beobachte ich ein ausgeklügeltes Netzwerk des Kleidungstauschs und der Kleidungsgeschenke: Um zu vermeiden, bei Festen immer in den gleichen Kleidern zu erscheinen, tauscht man diese untereinander aus. Der letzte Schrei sind «Upperwear-Partys»: Da laden junge Damen, die ihrer übervollen Garderoben müde geworden sind und ein bisschen Bargeld gebrauchen können, ihre Freundinnen zu sich ein und veranstalten einen privaten Räumungsverkauf.

In den Boomjahren wurden selbst stilsichere Damen teilweise vom Markenwahn infiziert. Doch die Rezession hat *le style simple* wieder zum Durchbruch verholfen. Wer es heute noch nötig hat, viel Geld auszugeben, um gut auszusehen, wird nur noch milde belächelt. Peinlicher als das ist höchstens, über Kleidung mehr als 5 Seiten eines Buches zu schreiben.

«Art? Ist das nicht ein Männername?»
ANDY WARHOL

Kulturverstopfung

Ein Plädoyer für die mediale Entrümpelung

Es soll einmal eine Zeit gegeben haben, da gingen wir ins
Museum, auch ohne dafür durch einen Hype aufge-
scheucht zu sein. Die Szenerie, die sich im Sommer 2004
vor der Berliner Nationalgalerie darbot, war grotesk: Zum
Teil bis in die Nacht standen die Menschen hier Schlange,
meist mehrere Stunden lang, um in die Ausstellung zu
kommen. New Yorks «Museum of Modern Art» («MoMA»)
hatte Teile seiner Sammlung wegen Renovierungsarbeiten
auslagern müssen, den Staatlichen Museen Berlin war es
gelungen, die New Yorker dazu zu überreden, diese Werke
in der Zeit nach Berlin auszuleihen. Der Gastauftritt des
MoMA wurde dermaßen professionell vermarktet, dass,
als die Werke wieder zurückgeschickt wurden, fast andert-
halb Millionen Besucher sie gesehen hatten. Der Teppich
in den Ausstellungsräumen musste ersetzt werden, was
aber angesichts von 6,5 Millionen Euro, die in die Kasse der
Nationalgalerie (und vor allem die des «Gift-Shops») ge-
flossen waren, nicht weiter ins Gewicht fiel. Täglich war in
den Medien über die Menschenschlangen vor dem Museum berichtet worden, doch das hatte nur immer mehr
Menschen angestachelt, sich dort einzureihen. Die Aus-
stellungsmacher waren natürlich stolz darauf, bewiesen zu

haben, dass auch moderne und «schwierige» Kunst einem großen Publikum schmackhaft zu machen ist, wenn nur die Verpackung stimmt.

Kunst ist ein Produkt geworden, das ähnlich Schweinebäuchen oder Fruchtjoghurt gehandelt und vermarktet wird. Marc Spiegler, einer der wichtigsten Kunstjournalisten der Schweiz, sagt, dass auf dem Kunstmarkt inzwischen dieselben Gesetze gelten wie in der populären Unterhaltungsindustrie: «In der Kunstszene von heute spielen Persönlichkeit und Aussehen eines Künstlers eine ständig größer werdende Rolle. Sogar in den Feuilletons hat sich der Fokus von kunstbezogener Kritik auf die Homestory verschoben – in der wir von den Lofts lesen, die Künstler bewohnen, von ihren coolen Ateliers, davon, welche Designer sie bevorzugen und wie ihr (bestenfalls skandalöses) Liebesleben aussieht. Aber es bedeutet auch, dass die Arbeit eines Künstlers, der sich zufälligerweise nicht zum Popstar eignet, automatisch im Nachteil ist.»

Wie kann man sich den Hypes entziehen? Kann man überhaupt noch eigenständig entscheiden, welche Bilder man sehen, welche Musik man hören, welche Bücher man lesen, über welche Themen man nachdenken will? Welche kulturellen «Events» nehmen wir wahr, weil wir ein wirkliches Bedürfnis danach haben, und wie viel Überflüssiges zwingen wir uns aufzunehmen, nur weil wir glauben, wir müssten «mitreden» können? Muss man jeden Film von Michael Moore gesehen haben? Muss man unbedingt dann Nietzsche lesen, wenn das Jahr zum «Nietzsche-Jahr» erklärt wird? Oder andersherum gefragt: Wird man Mozart nach dem «Mozart-Jahr 2006» noch ertragen können? Unser Kulturkonsum ähnelt unserem Zapping-Verhalten beim Fernsehen, nur dass beim Fernsehen nicht jemand hinter uns steht, der uns ständig vorgibt, wohin wir schalten müssen.

In der bildenden Kunst hat man aufgeholt, was in der Musikindustrie längst durchexerziert wurde. Es gibt schätzungsweise achttausendsiebenhundertdreiundvierzig Aufnahmen von Vivaldis «Vier Jahreszeiten», und in jeder größeren Stadt finden zweimal jährlich Aufführungen von «Carmina Burana» mit zweitausend Mitwirkenden und fünfzehntausend Bratwurst essenden Zuschauern statt. Wenn man sich dem Herdentrieb nicht zu widersetzen vermag, reißt das tiefe Löcher in die Haushaltskasse. Für das zweifelhafte Vergnügen eines Rolling-Stones-Konzerts, bei dem man dann möglicherweise mit ansehen muss, wie im VIP-Bereich Klaus Wowereit und sein Lebensgefährte Jörn zu «Angie» kuscheln und Sabine Christiansen schwärmerisch ihr Dunhill-Feuerzeug in die Luft hält, muss man immerhin knapp 70 Euro hinlegen. Wer sich mit dem Strom der Massen mitreißen lässt, muss dann noch zu André Rieu (67,65 Euro), Rod Stewart (64 bis 72 Euro) und den Drei Tenören (50,70 bis 142,70 Euro); günstiger ist paradoxerweise «Die Nacht der 5 Tenöre», man kann sie in Saarbrücken immerhin schon für 34,50 bis 54,30 Euro erleben und «Rondo Veneziano» in Teningen für 31,59 bis 41,37 Euro. Das kulturelle Angebot ist so groß, der Kampf um Marktanteile so hart, dass alle Anbieter – ob Konzertagenturen, Radio- und Fernsehstationen, Plattenfirmen, Zeitschriften, «Event»-Organisatoren, Freiluftbühnen, Unterhaltungsgastronomen, Zirkusdirektoren, Opernintendanten, Off-, Kammer-, Studio-, Stadt- und Staatstheater oder Filmverleihe – zwanghaft identischen Erfolgsrezepten hinterherrennen müssen, um die Aufmerksamkeit auf sich zu ziehen.

Auch bei den Künstlern selbst sorgt die kommerzielle Aushöhlung inzwischen für leichte Übelkeit. Damien Hirst zum Beispiel, den ich vor ein paar Jahren, auf dem Höhepunkt des Hypes um die «schockierende» Britpop-Kunst, interviewte, hat dem Kunstbetrieb mittlerweile genervt den Rücken gekehrt.

Als ich ihn traf, hatte in London gerade die «Sensation»-Ausstellung stattgefunden, dessen gefeierter Mittelpunkt Hirsts Installation mit dem Titel «A Thousand Years» war: eine riesige, zweigeteilte Glasvitrine, deren beide Hälften durch ein kleines Fenster verbunden waren, darin Tausende umherschwirrende Stubenfliegen. In der einen Hälfte der Vitrine stand eine Schale mit Zucker, in der anderen der blutige, schon in Verwesung übergegangene Schädel einer Kuh. Die Fliegen, entzückt von dieser Auswahl, flogen hektisch zwischen beiden Attraktionen hin und her, nagten hier, schleckten dort. Der Kunstbetrieb war hingerissen von Hirsts drolligem Versuch, «shocking» zu sein. Die Besucher der Ausstellung standen mit andächtigem Blick vor der Vitrine und lauschten den Erläuterungen, die ihnen der Audioguide ins Ohr flüsterte, die Zeitungen stritten sich in gelehrten Aufsätzen darüber, ob dieses Kunstwerk eine Aussage über das Verhalten des modernen Konsumbürgers oder vielleicht doch eher eine Variation über eines der ältesten Themen der Kunst überhaupt, den Tod, sei.

Damien Hirst deprimierte dies alles zutiefst. Nur zwei Jahre zuvor hatte man eines seiner Werke nicht einmal durch den amerikanischen Zoll gelassen, als es für eine Ausstellung ausgeliehen werden sollte. Es hieß «Dead Couple Fucking Twice» und bestand aus dem Kadaver eines ausgewachsenen Bullen, der, angetrieben von einem Hydraulikmotor, mit dem Kadaver einer Kuh kopulierte. Jetzt verlangten Museen auf der ganzen Welt nach Hirsts verwesenden Schweineköpfen, Banken kauften seine zersägten Tiere in Formaldehyd, um sie in ihren von avantgardistischen Innenarchitekten gestalteten Vorstandsetagen auszustellen, Sammler rissen sich um seine Fotoinstallationen von Verkehrsopfern. Hirst konnte, als ich ihn traf, seine Frustration über seine Situation nicht mehr im Zaum halten.

Er empfing mich in seinem Atelier. Vor mir stand ein kräftig wirkender Glatzkopf, der eher wie ein durchschnittlicher englischer Lagerloud aussah, aus dessen aufgedunsenem Gesicht zwei vom Alkoholkonsum gerötete Augen starrten, dies allerdings mit einer irritierenden Intensität. Als wir uns endlich setzten, konnte ich meine erste Frage stellen, ich brabbelte so etwas wie «Machen Sie Kunst oder Anti-Kunst?», worauf Hirst aufsprang und die einzige richtige Antwort gab: «Lass uns in den Pub gehen und uns über die Ausweglosigkeit dieser Frage betrinken!» Es war noch früher Nachmittag, also frühmorgens, wenn man zu Nord-Londons Boheme gehört. Die erste Runde Bier zahlte Hirst, nach der dritten fragte er mich: «Was war das meiste, was du in einer Nacht getrunken hast?» – «Ich war bei der deutschen Marine, also ...» – «Aha!», unterbrach er mich. «Magst du Analsex?» – «Nicht wirklich», sagte ich und versuchte, das Gespräch wieder in geordnete Bahnen zurückzulenken, als er ein kleines Holzschweinchen aus seiner Jackentasche fischte, es dem Mann unter die Nase hielt, der am Nebentisch in aller Ruhe eine Cumberland Sausage mit Kartoffelbrei aß, und gestand: «Dieses Schwein bedeutet mir unheimlich viel. Gestern Nacht habe ich ihm den Kopf abgebissen. Wollen Sie dieses Schwein haben? Ich schenke es Ihnen!» – «Nein danke, ganz lieb von Ihnen», sagte der ältere Herr, ohne zu ahnen, dass er gerade einen echten Hirst abgelehnt hatte.

Nach ein paar Bier fing Hirst an, über den Kunstbetrieb zu klagen. Wie sehr er sich bemühe, aus ihm auszubrechen, er ernte immer nur Entzücken. Er wisse nicht mehr, was er noch machen solle. «Blumenbilder etwa?», seufzte er. Kurz nach unserem Treffen in London eröffnete er in Notting Hill ein Restaurant, dessen Wände er mit Vitrinen voller Medizinflaschen dekorierte und das Ganze «Pharmacy», also «Apotheke» nannte. Als Hirst schließlich merkte, dass sein Lokal zur Touristenattraktion verkommen war, schloss er es und überschwemmte den Kunstmarkt mit dem Verkauf der gesamten Einrichtung als Hirst-Originale bei Sotheby's. Sein Galerist, Jay Joplin, erlitt einen Nervenzusammenbruch, weil er fürchtete, die Preise für Hirsts Medizinvitrinen würden kollabieren. Doch nichts dergleichen geschah, Hirst nahm 16 Millionen Euro ein. Mit diesem Geld hat er sich nun in sein Haus in Devonshire zurückgezogen, spielt mit seinen Kindern Videospiele und will von Kunst nichts mehr wissen.

Das Problem, mit dem Hirst sich herumschlug, ist so alt wie die Kulturindustrie. Die Ersten, die das Monstrum Kommerzialisierung als jene Kraft identifizierten, die jede noch so kritische Kunst in gefällige Dekoration verwandelt, waren die Dadaisten. Marcel Duchamps Pissoir war eine Verhöhnung des musealen Betriebs, inzwischen ist es Glanzpunkt jeder Ausstellung moderner Kunst. Ein letztes Aufbäumen gegen die Vereinnahmung durch die Kulturindustrie war ein Manifest, das die Übriggebliebenen der Dada-Bewegung unter der Federführung von Carl Laszlo 1958 herausgaben. «Neben den Ahnungslosen», heißt es darin, «rasen die Ewig-Verspäteten von Vernissage zu Konzert und bedienen sich aller Hilfsmittel zur Beseitigung der Verdauungsbeschwerden beim vorsichtigen Genießen der ‹modernen Kunst›. Brave Staatsangestellte mühen sich mit Filmclubs ab, unscheinbare Wesen mit gutem Leumund stellen in ihre geschmacklosen Wohnungen modernistische Möbel … Erst wenige haben gemerkt, dass mit einem einzigen Relief von Arp der Lebensstil, und das Leben überhaupt, nicht zu ersetzen ist; ein kurzes Tonband von Schwitters verscheucht die Öde des Hauses nicht; ein Max Ernst ist eben doch keine gewöhnliche Wanddekoration, ein Möbelstück von Mies van der Rohe inmitten von Ramsch im modernistisch verbauten Haus steht auf verlorenem Posten trotz einer reichen Bibliothek über Bau- und Wohnkultur.»

Den Versuch, das Establishment daran zu hindern, Kunst quasi als verdauungsfördernde Maßnahme, als Aperitif vor dem Abendessen im Drei-Sterne-Restaurant, zu konsumieren, haben viele Künstler immer noch nicht aufgegeben. Und wir gefügigen Kulturkonsumenten glauben tatsächlich, dass wir unser konventionelles Leben durch Kunst aufpeppen können. Wir stellen uns CD-Boxen mit dem Gesamtwerk von Wagner, Mozart und, wenn wir fortschrittlich sein wollen, Stockhausen oder Penderecki ins Regal, hängen Kunstdrucke von Chagall, Picasso, Rothko oder Rauschenberg an die Wand, kaufen im Museumsshop Bildbände, Kataloge oder Replikate, je nachdem, was gerade angesagt ist – und schaffen uns damit eine Art Kulturkulisse, von der wir überzeugt sind, dass sie unser Leben bereichert.

Dabei kann man sich nicht einmal darauf verlassen, dass das, was gerade gehypt wird, schlecht ist. Eine große Vermeer-Ausstellung will man vielleicht tatsächlich nicht verpassen, selbst wenn sie von Shell gesponsert und uns täglich als «Muss» empfohlen wird. Wahrscheinlich muss man sich also eine gewisse gesunde Ignoranz aneignen. Im Idealfall weiß man nicht, was der mediale Kanon zurzeit predigt, und bewahrt sich so wenigstens einen Rest von Unbefangenheit. Jedenfalls sollte man seinen eigenen Kulturkonsum danach abklopfen, wie viel davon rein «sozial integrative» Funktion hat – was man also tut, nur um «dabei» zu sein – und wie viel wirkliche Bedürfnisse befriedigt.

Opernpremieren bieten das beste Anschauungsmaterial, um sich von der Hohlheit des Kulturkonsums ein Bild zu machen. Hier besteht der Sinn nur noch für eine kleine Minderheit darin, die Aufführung zu sehen, es geht allein darum, selber gesehen zu werden und bei einem Ereignis dabei zu sein, dessen Teilnahme die Gewissheit bringt, «dazuzugehören». Auch die Opernhäuser vermarkten, weil das Stammpublikum langsam ausbleibt, Opern als möglichst kontroverses Happening. Mit dem Resultat, dass das Gros der Besucher aus Eventpublikum besteht und die wenigen Opernliebhaber die Aufführungen meiden, weil sie mit einem masturbierenden Figaro nichts anfangen können.

In Bayreuth ist das besonders anschaulich: Der Eröffnungstag bleibt allein denen vorbehalten, die zwar sichtbar darunter leiden, lange Wagneropern auf den legendär unbequemen Stühlen im Festspielhaus aushalten zu müssen, und auf die zwei langen Pausen warten, in denen sie für ihre Geduld entschädigt werden. Dann drängen sie sich durch ein Spalier von Zaungästen und Pressefotografen, um ins Festspielrestaurant zu gelangen, wo man sehr teures, dafür aber sehr mittelmäßiges Essen bekommt. Wirklich essen tun aber die wenigsten. Wer hier sitzt, wartet hauptsächlich darauf, dass Sabine Brauer, die Fotografin der Illustrierten «Bunte», einen sieht und mit Frau Merkel oder Thomas Gottschalk fotografiert.

So lustig es ist, die Opernbesucher zu sehen, wie sie sich herausputzen und zur Premiere eilen, so gewiss ist auch, dass man, wenn man sich nicht bewusst dagegen zur Wehr setzt, fast unwillkürlich genauso handelt und Kultur und Medien hauptsächlich dazu nutzt, sich sozial zu unterscheiden, mitreden zu können. Ausgaben für Kulturkonsum sind bei den meisten von uns hauptsächlich Prestige-Aufwendungen. Nachdem ich begann, meine Ausgaben für Medien und Kultur zu reduzieren, stellte ich fest, dass ich auf vieles verzichten konnte, ohne an den Dingen sparen zu müssen, an denen mir wirklich etwas lag. Zum Beispiel lebte ich lange unter der zwanghaften Vorstellung, ich müsste möglichst viele Zeitungen und Zeitschriften in allen mir halbwegs geläufigen Sprachen abonnieren, um auf dem Laufenden zu sein. Auf dem Höhepunkt meiner Sucht wurden allmorgendlich fünf Zeitungen in unseren Briefschlitz gestopft. Die Nachbarn schüttelten über mich den Kopf, weil unsere gemeinschaftliche blaue Tonne nach ihrer Leerung immer sofort wieder voll war. Etwa viermal am Tag schaltete ich Nachrichten ein, bemühte mich übers Internet auch zu verfolgen, was in Amerika, Frankreich und England gerade «Thema» ist. Ich zeigte die typischen Symptome eines Informationsjunkies.

Erst seitdem ich aus Geldmangel dazu gezwungen war, eine Medien-, Kultur- und Eventabmagerungskur zu machen, merkte ich, dass all das, was ich für nötig hielt, um «tuned in» zu sein, mich nur zerstreute und überfüllte und meine eigenen Gedanken verstopfte. Inzwischen weiß ich, dass ich kein Abonnement des «Atlantic Monthly» brauche, dass ich sogar auf den «Merkur» und auch auf den «Tatler» verzichten kann, ohne dadurch Mangel zu leiden. Ich komme auch ohne DSL-Anschluss mit 2048 kbit/s Downstream aus, und wenn ich je wieder ein Handy haben will, dann bitte nur eines, mit dem man garantiert nur telefonieren kann. Ich will nicht wissen, wer den Bambi, die Goldene Kamera, den Goldenen Truthahn gewonnen hat, ich muss nicht das Unwort des Jahres kennen und kann mich jederzeit für Gen- oder Hirnforschung interessieren, egal, ob irgendwelche Medienleitfiguren dies zum «Thema des Monats» machen oder nicht. Ebenso wenig muss ich an jedem zweiten Wochenende in eine beliebige europäische «Kunstmetropole» fahren, um dort die neueste Ausstellung zu besuchen, nur weil ich im Fernsehen gehört habe, dass man sie gesehen haben muss, ich kann genauso gut ins Museum nebenan gehen, in dem die Bilder hängen, die diese Woche nicht gehypt werden. Ich muss auch nicht jedes Theaterstück anschauen, das gerade als Skandal gefeiert wird, mittlerweile verzichte ich sogar erfolgreich auf Nachrichtenberieselung. Die meisten angeblich wichtigen Nachrichten haben nämlich mit meinem Leben nicht das Geringste zu tun. Wenn ich mich passiv berieseln lassen will, schalte ich manchmal das Radio ein. Eine Stunde abendlicher Deutschlandfunk verhält sich gegenüber TV-Zappen wie frisches Gemüse vom Bioladen gegenüber Fertigfraß aus dem Supermarkt.

In «The Age of Missing Information» dokumentierte der amerikanische Medienforscher Bill McKibben alle Fernsehsendungen, die innerhalb von vierundzwanzig Stunden im Staate New York ausgestrahlt wurden. Er brauchte mehrere Monate, um das gesamte Material zu sichten, und stellte fest, dass er Abertausende Informationen vor sich hatte, die ihm nicht den geringsten Nutzen oder auch nur eine Bereicherung brachten.

Wir werden von morgens bis abends mit Information und Unterhaltung zugemüllt und wissen doch weniger denn je. Neil Postman, der Altstar unter den Medienüberfütterungsgegnern, behauptet, dass früher, als er an der New York University zu unterrichten begann, die technischen Hilfsmittel zwar primitiv waren, die Studenten aber meist bestens in der Lage gewesen seien, zu lesen, zu schreiben und ihre Gedanken in Worte zu fassen. Heute gebe es Schreibprogramme, elektronischen Zugang zum Inhalt von Tausenden Bibliotheken, jeder habe ständig kabellosen Zugriff auf das Internet, aber einen kohärenten Aufsatz schreiben könnten nur noch die wenigsten Studenten, und eigene Ideen hätten sie schon lange nicht mehr, da nur noch nachgeplappert werde.

Für die uns nachfolgende Generation machen sich Hirnforscher ernsthafte Sorgen, weil Schulversagen immer häufiger im direkten Zusammenhang mit so genannter Medienverwahrlosung steht. Jeder zweite Junge im Alter von zehn Jahren verfügt in seinem Kinderzimmer über die ganze Palette von Fernsehgerät, Computer, Playstation und DVD-Rekorder und verbringt täglich rund zwei Stunden beim Videospielen. Die Fähigkeit, Schulstoff zu lernen, ist für solche Kinder auf ein Minimum reduziert, weil die Gehirnareale, die für die schulische Arbeit gebraucht werden, durch Videospiele und Fernsehkonsum übermäßig in Anspruch genommen werden.

Kein Gerät begünstigt Verblödung und Herdenverhalten so sehr wie der Fernseher. Kein anderes Medium ist für so viel Stumpfsinn, so viel Brutalität und Banalität, für so viel Zeitverschwendung verantwortlich. Vor nicht so langer Zeit musste man noch mindestens Latein können, um zur geistigen Oberschicht zu gehören. Heute genügt dafür der Verzicht auf den Fernseher. Selbst angeblich intelligente Informationssendungen simulieren ja meistens eher Wissensvermittlung, als einem irgendetwas Wissenswertes mitzuteilen. Wer braucht Berichte aus Katastrophengebieten im Infotainment-Format, in denen die Bilder mit Geigenmusik unterlegt werden? Wer braucht Liveschaltungen aus Bagdad, in denen Journalisten, die in einem abgeschirmten Pressezentrum sitzen und über ihre Zentralen in Mainz oder Atlanta ihre Nachrichten erhalten, den Zuschauern in Milwaukee und Stuttgart-Degerloch den Stand der Dinge «vor Ort» erklären. Etwa so:

Nachrichtensprecher: «Guten Morgen nach Bagdad. Können Sie uns sagen, wie die Lage im Moment ist?»

Reporter: «Nein, Thomas, die Lage ist total unübersichtlich. Wir sitzen hier im Pressezentrum, unsere Techniker geben sich alle Mühe, die Satellitenverbindung aufrechtzuerhalten.»

«Die Agenturen melden, dass der Innenminister zurückgetreten sei. Was können Sie uns dazu sagen?»

«Ja, diese Agenturmeldung haben wir hier vor Ort auch gelesen. Die meisten Experten haben ja seit Tagen diesen Schritt vorausgesagt. Aber wir konnten darüber nichts in Erfahrung bringen. Das Pressezentrum verlassen wir normalerweise nicht. Hören wir mal, was mein Kollege Scott Thomas von ‹Newsweek› darüber zu sagen hat, der den Innenminister vor ein paar Tagen interviewt hat.» In der Regel folgt solchen Liveschaltungen ein Studiogespräch zwischen zwei Journalisten, der mit Bart ist meist ein Nahost-Experte. Wer nicht ausschaltet, wenn sich zwei Journalisten gegenseitig interviewen, ist selber schuld.

Eine Indiskretion sei mir an dieser Stelle erlaubt. Prinz Charles war jung mit Diana verheiratet, da schwante ihm, dass etwas mit ihr nicht stimmen könne, als sie darauf bestand, einen Fernseher am Bett zu haben. Er spricht das Wort «Television», wenn er es ausspricht, mit einer Abscheu aus, als würde er «Furunkel» sagen.

Wenn man beginnt, sich bewusst gegen die Vermüllung durch Medien, Meinungen, Events zu wehren, verbessert man seine Lebensqualität nachhaltig. Wer jedem neuen Trend und jeder Mode hinterherrennt, führt ein sehr kostenintensives, anstrengendes und uniformiertes Leben. Der Mut zum Anderssein hingegen spart Geld und schafft einen Hauch von Autarkie – was in unserer gleichgeschalteten, homogenisierten Zeit immer mehr zum Luxus wird.

Einer der schönsten Wege aus der Kulturvermüllung ist übrigens die Flucht in die Kennerschaft. Geldmangel kann, so lästig er in mancherlei Hinsicht sein mag, auch hier eine Gelegenheit sein, Prioritäten zu setzen und sich von all dem Krempel zu befreien, mit dem man sein Leben überfrachtet. Was bleibt, sind die Dinge, die man wirklich mit Passion betreibt. Menschen, die in einem Spezialgebiet echte Ahnung haben – sei es das Leben und Werk von Glenn Gould, sakrale Kunst des Mittelalters oder Punkrock –, sind gegen das Herdenverhalten, das den Kulturkonsum der meisten von uns bestimmt, immun. Solche Passionen können natürlich leicht in Narretei umschlagen, aber immerhin ist man so am ehesten vor der Gesetztheit des modernen Kulturkonsumenten gefeit, lässt sich nicht von Thema zu Thema scheuchen, macht sich nicht heute um Rinderwahnsinn und morgen um genmanipulierte Äpfel Sorgen. Kenner sind reich, an Wissen und an Unabhängigkeit. Der Kenner ist das genaue Gegenteil des ahnungslosen Zappers.

> «Dass wir wieder werden wie die Kinder,
> ist eine unerfüllbare Forderung. Aber wir
> können zu verhüten versuchen, dass die
> Kinder werden wie wir.»
>
> *ERICH KÄSTNER*

Kinder, Kinder

Über die Erziehung zum Glück ohne Konsumzwang

Das Beschenken von Kindern? Die härteste Prüfung überhaupt. Fragt man in einem gewöhnlichen Kaufhaus nach Zubehör für die gute alte Kinderpost, so schaut das Personal, als trage man den Koran unterm Arm und einen Dynamitgürtel um die Hüfte. Der Vulgärkapitalismus zeigt in Spielwarenabteilungen seine hässlichste Fratze: alles in der Hand von zwei, drei Großkonzernen, die die Welt unter sich aufgeteilt haben wie Monster in einem Fantasy-Film. Die Plastikspielzeuge enthalten allesamt Weichmacher, die Gifte freisetzen, ob unsere Kleinen daran lutschen oder sie nur in der Hand halten. Circa hundert Prozent der Spielzeuge kommen inzwischen aus China oder Vietnam, wo dortige Kinder für hiesige Kinder in Orten wie Kung-Chu-Ling und Haiphong quasi ehrenamtlich in schlecht belüfteten Fabrikhallen schuften, die hin und wieder abbrennen.

Dabei, so melden die Marktforscher alarmiert, wollen Kinder ohnehin kein Spielzeug mehr. In Nordamerika und Westeuropa bevorzugen die Hälfte aller Vier- bis Sechsjährigen bereits Videospiele. Branchenriesen wie Toys'Я'Us und F.A.O. Schwarz geraten in Panik, weil das Publikum, auf das sie sich konzentrieren müssen, immer jünger wird.

Früher spielten auch Elfjährige gern mit Playmobil, heute interessiert sich ein Sechsjähriger hauptsächlich für Papis Laptop.

Die besorgten Marketingstrategen der Spielzeugkonzerne kommen langsam hinter ein Phänomen, das ich auch bei mir zu Hause genauestens erforscht habe: Die Kleinen haben die Nase voll von Spielzeug. Meinen Sohn hat mein Computer schon immer mehr interessiert als alberne Plastiksachen. Wenn man ihn für einen Moment unbeaufsichtigt lässt, kommt er einem entweder mit der Klobürste entgegen, weil er die neulich in meiner Hand gesehen hat, oder er schnappt sich das irgendwo herumliegende Telefon und tippt eine beliebige amerikanische Nummer ein. «001» konnte er wählen, lange bevor er «Auto» sagen konnte. Meine Tochter ist ohnehin völlig unkompliziert, eigentlich spielt sie nur mit ihrer Lieblingspuppe. Diese ist, wie erstaunlicherweise alle Lieblingspuppen der Mädchen in ihrem Alter, völlig zerzaust, hat nur noch ein Auge und kaum mehr Haare. Alles, was man ihr schenkt, lässt sie nach kürzester Zeit links liegen und kehrt zu ihrer alten Puppe zurück, die immer dabei ist, wo sie auch geht und steht.

Der Geschenke- und Spielzeugwahn ist nicht angeboren, sondern er wird unseren Kindern offenbar erst mühsam anerzogen. Dabei besteht die große Kunst der Genuss-Schulung eben darin, ihnen nicht alles hinterherzuschmeißen. Gerade Eltern mit beschränktem Budget neigen oft dazu, ihre Kinder mit Dingen zu überhäufen, die sie sich im Grunde gar nicht leisten können. Aus Angst, ihnen etwas vorzuenthalten, glauben sie, den ganzen Mist, die sprechenden Puppen, den Schulranzen mit den offiziell lizenzierten Disney-Figuren, die Videospiele, die Nike-Komplettausrüstung kaufen zu müssen, damit die Kinder nicht das Gefühl haben, gegenüber ihren Klassenkameraden benachteiligt zu sein. Wenn diese Kinder dann zu ausgewachsenen Konsumenten herangereift sind, haben sie nicht gelernt, mit so etwas wie Beschränkung umzugehen, weil ihnen beigebracht worden ist, all das haben zu wollen, was der Nachbar hat. Im schlimmsten Fall wird für Kinder, die von der Geburt bis zum Abitur mit allem überhäuft werden, was der Markt hergibt, irgendwann Mangel zum großen Erlebnis. So wie für den Helden in Christian Krachts Roman «1979», der einer Welt voll von abgeschmacktem Luxus überdrüssig ist und ihr immer weiter entflieht, bis er den endgültigen Kick erst im chinesischen Umerziehungslager findet.

Das ärmste Kind, dem ich je begegnet bin, war der kleine Ali Kashoggi, der jüngste Sohn des Multimillionärs Adnan Kashoggi. Sein Kinderzimmer in Kashoggis Palast in den Bergen oberhalb Marbellas hatte die Größe einer Turnhalle. Jegliches Spielzeug gab es nur in XXL: Riesenteddybären, Riesenspielzeugautos, darunter fahrbare Kinderausgaben von Ferrari und Rolls-Royce. Und zwischen lauter quietschendem, klingelndem, hupendem und blinkendem Zeug saß Ali, ein unausstehlicher Quälgeist, der seine zahllosen Kinderschwestern triezte, der sich nie allein beschäftigen konnte, der abwechselnd gelangweilt und gereizt wirkte. Zur Nachmittagsunterhaltung wurden ihm Clowns ins Haus geholt, aber ich habe kein einziges Mal gesehen, dass er gelacht hätte. Später, habe ich gehört, soll er in New York zur Schule geschickt worden sein. Vermutlich eine dieser Rich-Kids-Schools wie Dwight, Spence oder St. Ann's. Spence ist bekannt dafür, dass hier schon elfjährige Mädchen mit Prada-Handtaschen herumlaufen, Dwight und St. Ann's für den Alkohol- und Drogenkonsum der Schüler. Was sollen diese Kinder noch genießen? Ihnen bleibt oft nichts anderes übrig, als Hippies in Goa oder heroinsüchtige Tramps in Algier zu werden, um den Überfluss ihrer Kindheit zu kompensieren.

Genuss kann man nur maximieren, wenn man zu verzichten gelernt hat. Der Philosoph Arnold Gehlen behauptete, dass der Mensch unter einem pausenlosen Druck steht, der ihn zu Dingen treibt, die über die bloße Befriedigung seiner unmittelbaren Bedürfnisse hinausgehen. Dieses Immer-mehr-haben-Wollen nannte Gehlen «Antriebsüberschuss». Ohne diesen, so Gehlen, hätte der Mensch nicht geleistet, was er geleistet hat, ohne Antriebsüberschuss hätte er das Gesicht der Erde nicht völlig umgestaltet.

Der Drang nach Mehr, nach Besserem, Neuerem ist ebenso wie das Verlangen nach Genuss, worauf man womöglich auch ohne Gehlen gekommen wäre, Teil unserer Natur. Wer sich dagegenstemmt, macht sich unglücklich, weil man sich gegen seine Natur nicht auflehnen kann. Das Geheimnis des Genusses besteht darin, seine Begierden zu kennen und sie – statt wie der Asket zu bekämpfen oder zu negieren – zu mäßigen. Der Lateiner kennt dafür das hübsche Wort «temperantia». Es ist deswegen so hübsch, weil darin nicht so sehr Zügelung und Zucht anklingt, als vielmehr die Kunst der rechten Komposition. Ähnlich wie bei einem Rezept, bei dem es nicht darum geht, keinen Zucker und kein Mehl zu verwenden, sondern die richtige Menge davon, um das Ganze nicht zu verderben. Für den Christen ist Maß eine der Kardinaltugenden, auch der Buddhismus empfiehlt das Maß, und Dr. Müller-Wohlfahrt, der Mannschaftsarzt des FC Bayern, sowieso.

Die erzieherische Herausforderung lautet also: Wie bewahre ich meine Kinder vor einer Zukunft als medienmanipulierte, unmündige Konsumidioten, die alles haben wollen, was ihnen angepriesen wird? Wie fördert man

Ichstärke, wie trainiert man die Fähigkeit, Verzicht üben zu können, wo andere dreimal hinlangen? Die allerwichtigste Antwort lautet: Es gibt kein Geheimrezept. Man kann darauf bestehen, dass seine Kinder nur mit ausgesuchten, mehrfach unbehandelten, kunstvoll geschnitzten Waldorf-Holzenten spielen, und muss dennoch damit rechnen, dass sie irgendwann mit dem Wunsch nach gewaltverherrlichenden Videospielen oder einer sprechenden Puppe der Marke «Loving Baby» ankommen. Und wenn sie die Wahl haben zwischen einem pädagogisch wertvollen Öko-spielzeug und einem Plastikmonster, das laute Geräusche von sich gibt und blinkt, wenn man es drückt, werden sie ... ja, genau. Wie man seine Kinder mit Sicherheit zu sparsamen, geschmackvollen, umweltbewussten Weltbürgern erzieht, weiß ich nicht. Aber ich weiß, dass es ein fataler Fehler wäre, alles daranzusetzen, ihre Neigungen einfach zu leugnen. Das geht nämlich meist nach hinten los.

Christa Meves berichtet aus ihrer jahrzehntelangen psychotherapeutischen Praxis, dass Kinder besonders wohlmeinender Eltern, die ihnen jeglichen Materialismus und jegliche Besitzansprüche aberziehen wollen, häufig habgierige Erwachsene oder krankhafte Horter werden. In den Kibbuzim Israels war es üblich, dass die Säuglinge von ihren Müttern gestillt, aber ansonsten kollektiv erzogen wurden. Der israelische Psychoanalytiker S. Nagler hat nachgewiesen, dass solche Kinder, denen man versucht hat, den Besitztrieb abzugewöhnen, meist schwere psychische Schäden davongetragen haben. So berichtet er zum Beispiel von dem Fall eines hochintelligenten Kindes, das nicht rechnen lernen wollte, weil alles, was mit Nehmen und Behalten zu tun hatte, für das Kind tabuisiert war. Dadurch, dass man das Besitzstreben seiner Kinder blockiert, zieht man also keine seelisch gesunden Menschen heran. Das «Haben-Wollen» ist keine Schwäche, sondern offenbar ein menschliches Bedürfnis, das man nur mäßigen kann, wenn man es zunächst anerkennt und es nicht mit aller Gewalt bekämpft.

Eine Erziehungsregel allerdings traue ich mich aufzustellen: Man sollte versuchen, seine Kinder zu Eigenständigkeit zu erziehen, und eine Erziehung zur Eigenständigkeit ist eine Erziehung zur Freiheit. Ziel muss es doch sein, dass Kinder fähig werden, aus innerer Überzeugung das Richtige zu tun. Ganz banal: Meine Tochter putzt sich nicht die Zähne, weil sie das «muss» oder weil «man» das so macht, sondern weil sie weiß, dass sich dort sonst Bakterien sammeln. Je leichter es einem fällt, das Richtige zu tun, desto glücklicher ist man! Wenn ein Musiker virtuos ist, so meinen wir damit, dass er nicht nur ohne Fehler «vom Blatt» spielen kann, sondern dass er das mit Leichtigkeit, Kunstfertigkeit, ohne schweißtreibende Mühe tut. Das unterscheidet ihn ja von einem Anfänger, der sich mühevoll plagen muss. Wer das Richtige tut, ohne dass es Mühe kostet, hat es wirklich geschafft. Und das erreicht man nicht durch Zwang, sondern durch Einsicht.

Einsicht zu vermitteln kann allerdings zeitraubend sein. Wenn meine Tochter unbedingt ein Eis will, weil ihr Spielkamerad eines hat, gibt es, grob gesagt, drei Möglichkeiten, darauf zu reagieren: Ich kaufe ihr, Option A, ein Eis, damit ist das Thema am schnellsten erledigt. Ich kaufe ihr, Option B, kein Eis, «Basta!», und nehme hin, dass sie verstimmt ist (also: brüllt). Oder, Option C: Ich versuche, ihr klar zu machen, dass eines der Dinge, die den Menschen vom Schaf unterscheiden, die Fähigkeit ist, nicht «Määäh» zu blöken, nur weil die anderen das tun. Das führt dann in achtzig Prozent der Fälle dazu, dass meine Tochter erst

recht ein Eis will, ich also doch auf Option A oder B aus-
weichen muss. Bisweilen funktioniert Option C allerdings.
Mittlerweile machen wir uns manchmal sogar einen Spaß
daraus, an einem besonders heißen Tag *kein* Eis zu kaufen,
wenn wir andere mit einem riesigen Magnum in der Hand
sehen und uns das Wasser im Mund zusammenläuft. Unser Geheimsignal lautet: «Määäh!» Wenn einer von uns
«Määäh!» sagt, heißt das, dass wir versuchen, unser inneres
Schaf zu überwinden, das immer genau das haben will, was
die anderen haben.

Auch bei der Erziehung zur Eigenständigkeit sollte man
natürlich gemäßigt vorgehen und von seinen Kindern nicht
ständig verlangen, anders als die anderen zu sein. Wie Vö-
gel wollen Kinder im Schwarm fliegen, vielleicht damit der
Raubvogel sie nicht herauspickt. Ein Patentrezept, um ein
gesundes Maß an Nonkonformismus zu erreichen, gibt es
schon deshalb nicht, weil es ein Naturgesetz zu sein
scheint, dass Kinder ab einem bestimmten Alter ohnehin
genau das Gegenteil von dem tun, wofür ihre Eltern
schwärmen. Kinder von vegetarischen Bioladen-Kunden
werden erstaunlich oft leidenschaftliche Massentierhal-
tungs-Gourmands, Eltern, die ihr Kind von klein auf dazu
drängen, ein Musikinstrument zu spielen, sorgen garantiert
dafür, dass es spätestens ab der Pubertät alles ablehnt, was
mit Musik zu tun hat. Denkt man diese Gesetzmäßigkeit
zu Ende, wäre die beste Strategie die, seinen Kindern genau das vorzuleben, was man verabscheut, um so das Verhalten zu provozieren, zu dem man sie eigentlich erziehen
wollte. Aber das stelle ich mir recht anstrengend vor.

Die Tatsache, dass ich nicht mehr morgens früh die Wohnung verlasse, um meinen Tag in einem Büro verbringen,
hat für mich, was die Kindererziehung betrifft, ein paar

entscheidende Vorteile: Erstens sehen meine Kinder, dass Arbeit nichts Unangenehmes ist und sich mühelos mit Aktivitäten wie Fußnägelschneiden und Mittagsschläfchen vereinbaren lässt. Zwar ist mein Budget für Spielzeug erheblich geschrumpft, seitdem ich nicht mehr über ein regelmäßiges Einkommen verfüge, dafür kann ich mit einer Sache verschwenderisch umgehen, mit der reichere Eltern sehr haushalten müssen: Aufmerksamkeit. Beruflich erfolgreichen Eltern bleibt ja, allein schon um ihr schlechtes Gewissen zu beruhigen, nichts anderes übrig, als ihre Kinder mit Geschenken zu überhäufen.

In der Kinderpsychologie berühmt wurde der Fall eines wohlhabenden Ehepaares, das ein Psychologenteam zu Hilfe holte, weil ihre beiden Söhne im Alter von neun und elf Jahren «alles» hatten, aber ständig miteinander stritten. Die Psychologen machten folgende Beobachtung: Die Eltern verbrachten nie viel Zeit mit den Kindern, selbst wenn sie zu Hause waren, hatten sie meist Gäste. Das Muster, nach dem sich die beiden Streithähne verhielten, war immer das gleiche. Sie beschäftigten sich völlig friedlich, jeder mit seinen Sachen, und zwar genau bis zu dem Zeitpunkt, an dem die Mutter nach dem Rechten sah. In dem Moment ging der Streit zwischen den Jungen los, den die Mutter dann natürlich schlichten musste. Schließlich beruhigten sie sich wieder, nach einer halben Stunde etwa fing das Gezeter allerdings von neuem an. Denn wenn die beiden laut genug stritten, kam nicht nur die Mutter, sondern auch der Vater, und der schimpfte noch lauter, was die Kinder zwar einschüchterte, in ihrem Gesicht aber einen Ausdruck hinterließ, der als «Mona-Lisa-Lächeln» in die Lehrbücher der Kinderpsychologie einging. Als die Eltern endlich wissen wollten, was denn das Problem ihrer Söhne sei, mussten die Psychologen ihnen erklären: «Ihre Kinder streiten, weil sie damit garantiert Ihre Aufmerksamkeit erhalten.»

Vielleicht steht das Kostbarste, das man seinen Kindern schenken kann, also nur Eltern in ausreichendem Maße zur Verfügung, die weniger Geld und dafür mehr Zeit haben. Aufmerksamkeit kann eine kleine Abenteuerreise zum nächsten Briefkasten bedeuten oder gemeinsam kochen, irgendeine alltägliche Erledigung, die man mit seinem Kind unternimmt. Eine solche Erledigung, bei der ich allerdings lange gezögert habe, die Kinder einzubeziehen, ist das Einkaufen. Einen Großteil seiner Lebenszeit verschwendet der Mensch mit stupidem Shopping, irgendwie widerstrebt es mir, meine Kinder schon frühzeitig daran zu gewöhnen. Andererseits ist Einkaufen eine gute Gelegenheit, seinen Kindern beizubringen, dass man auch in einen Laden gehen kann, ohne jeder dargebotenen Versuchung zu erliegen.

Freundlicherweise sind in allen Supermärkten der westlichen Hemisphäre sämtliche Produkte, die bei den Kindern heftige Dopaminschübe auslösen, in deren Augenhöhe platziert. Um uns gegen diesen Terror zur Wehr zu setzen, haben meine Tochter und ich uns folgendes Spiel ausgedacht: Wir betrachten den Supermarkt als Parcours, in dem Hunderte Fallen aufgestellt sind, um uns zum Kauf von Dingen zu verleiten, die wir nicht brauchen. Das Spiel besteht nun darin, diesen Parcours zu meistern, ohne sich verführen zu lassen. Gewonnen hat, wer es schafft, nur das einzukaufen, was man vorher festgelegt hat, also zum Beispiel einen Liter Milch, ein paar Bananen und die zweieinhalb Tonnen Fruchtzwerge, auf die meine Tochter besteht. Wenn wir alle gemeinsam einkaufen, teilen wir uns in Teams auf. Gewonnen hat das Team, dem es am längsten gelingt, einen leeren Einkaufswagen vor sich herzuschieben.

Solche kleinen Spielchen erhöhen die Resistenz gegen die Konsumverlockungen. Schon für uns, die Generation der jungen Väter, war es nicht leicht, in einer Welt zu leben, in der man rund um die Uhr angefixt und zum Kauf von irgendwelchen Glück verheißenden Produkten animiert wird. Die nächste Generation wird noch sehr viel mehr Widerstandsfähigkeit an den Tag legen müssen als wir. Denn da wir weniger Geld haben werden, wird die Wirtschaft mit immer härteren Bandagen um unser Geld kämpfen.

In manchen Safeway-Supermärkten in Kalifornien hat die Zukunft bereits begonnen: Der Käufer wird dort mit Werbebotschaften beschallt, aber nicht wie in primitiven Kulturen aus altmodischen Lautsprechern, nein, jeder Kunde wird einzeln mittels «Hypersonic Soundbeam» angesprochen. Geht man an dem Regal mit den Käsen vorbei, macht eine freundliche Frauenstimme einen darauf aufmerksam, dass der Pecorino Sardo, den man so gerne mag, im Angebot ist. Aber nur man selbst hört die Stimme, der rundlichen Dame neben einem wird der neue Bleu d'Auvergne light ans Herz gelegt.

Wenn sich diese Technologie auf dem Konsumsektor durchsetzt, und das wird sie, werden wir demnächst individuell von Werbung angestrahlt. Interessant wird das für die Wirtschaft aber erst, wenn sie ein wenig über den Angesprochenen weiß und beim Betreten des Ladens ein Käuferprofil erstellen kann, dem die Werbebotschaften angepasst werden. Möglich ist dies durch Funkidentifikations-, kurz RFID-Chips. Solche Mini-Mini-Chips sind keine Zukunftsmusik, sondern seit Jahren im Gebrauch, zum Beispiel in Schlüsseln mit elektronischer Wegfahrsperre oder Bibliotheksbüchern, nur sind sie inzwischen auf die Größe eines Sandkorns geschrumpft und können

Informationen speichern, für die man vor ein paar Jahren noch einen Personal Organizer brauchte. Sie werden in den Tickets der Fußball-WM 2006 enthalten sein, und im neuen europäischen Reisepass steckt ebenfalls ein solcher winzig kleiner Funkchip, der Informationen über uns abgibt. Die RFID-Enthusiasten träumen davon, nie mehr Kassenzettel aufheben zu müssen, und vom Ende der Warteschlange vor Kassen, da das Geld für die Waren einfach vom Konto abgebucht werden kann, wenn man einen Laden verlässt.

Der Konsument von morgen wird ein ziemlich durchsichtiges Wesen sein, um dessen Geld mit immer raffinierteren Methoden geworben werden wird. Nur wenn wir unsere Kinder zu selbständig denkenden Menschen erziehen, die gelernt haben, dass es auch Genuss bedeuten kann, einer Verlockung nicht nachzugeben, werden sie eine Chance haben, reich zu sein, egal, über wie viel Geld sie verfügen.

«In dieser kollektivistischen Zeit so indivi-
dualistisch wie möglich zu leben, ist der
einzig echte Luxus, den es noch gibt.»

ORSON WELLES

Schöner shoppen

Wie man einkauft, ohne zu verblöden

Im Hof des Tierforschungsinstituts in Peking steht ein
Mahnmal für die «unbekannte Laborratte». Das ist verständlich angesichts der vielen bahnbrechenden Erkennt-
nisse, die wir Menschen den Abertausenden Ratten, Mäu-
sen und Affen verdanken. Zum Beispiel gilt ein gepflegter
Kaufrausch bloß noch Ahnungslosen als probates Mittel
gegen Alltagsdepressionen, denn die Wissenschaft hat
längst nachgewiesen, dass Konsum nicht nur nicht glücklich macht, sondern, im Gegenteil, sogar abstumpft. Was
den Homo sapiens antreibt, sagt die Forschung, ist seine
Vorfreude, die Erfüllung seiner Wünsche hingegen langweilt ihn.

Ein berühmtes Experiment führte der Hirnforscher
Wolfram Schultz an Affen durch. Die Versuchstiere wurden in Käfige gesperrt, in denen sich eine handgroße Öffnung befand, darüber eine kleine Lampe. Wann immer
man den Affen durch die Öffnung ein paar Apfelscheiben
reichte, leuchtete kurz vorher die Lampe auf. Nach kürzester Zeit hatten die Affen begriffen: Wenn das Lämpchen
anging, sprang in ihren Hirnen die Produktion von
Dopamin an. Schultz stellte allerdings fest, dass dieser
Lust-Botenstoff nur dann ausgeschüttet wurde, wenn die

Affen in Erwartung ihrer Belohnung waren. Als die Apfelscheiben endlich kamen, blieb der Dopaminspiegel unverändert. Die eigentliche Belohnung löste also weder Glück noch Lust, noch irgendeine im Hirn messbare Reaktion aus. Spannend war die Vorfreude – die Erfüllung selbst brachte keinerlei Lustgewinn.

Professor Schultz ging aber noch weiter. Er wollte wissen, ob und inwiefern eine Steigerung der Qualität der Belohnungen einen messbaren Unterschied macht. Also belohnte er nach dem Lichtsignal die Affen nicht mit Apfelscheiben, sondern mit Rosinen. Juchhu! Von nun an feuerte das Gehirn noch mehr Dopamin, sobald das Lämpchen leuchtete. Doch sehr schnell hatten sich die Tiere an das bessere Futter gewöhnt – das Dopamin ließ nach und bescherte den Affen genau das gleiche Lustgefühl, das sie empfanden, als sie sich nur auf Äpfel freuten. Als Schultz nach einer Weile wieder dazu überging, statt Rosinen Apfelscheiben zu reichen, sank ihr Dopaminspiegel sogar. Das Leuchten der Lämpchen reizte die blasierten Affen nicht mehr. Hatten ihnen vorher, selbst bei der hundertsten Wiederholung, banale Apfelscheiben Freude bereitet, quittierten sie diese jetzt nur noch mit Enttäuschung. Die ernüchternde Erkenntnis von Professor Schultz: Je höher wir unsere Erwartungen schrauben, desto schwieriger ist es, uns glücklich zu machen. Und: Genuss erhöht nicht unser Glücksgefühl, es ist lediglich die Vorfreude, die das vermag.

Der berühmte Philosoph Ernst Bloch brauchte, um das herauszufinden, keine Affen. Seine Theorie von der «Melancholie des Erreichten» besagte schon lange vor den Experimenten in der Hirnforschung, dass Wünsche und Sehnsüchte stets an der Schwelle zur Erfüllung sterben. Allein das ist ja schon eine Erkenntnis, die einem sehr viel

Geld sparen kann, wenn man sie verinnerlicht. Klar will man einen iPod oder die allerneueste Digitalkamera haben. Aber wenn man sie hat, fühlt man sich nicht besser als zuvor. Also kann man auch gleich ganz darauf verzichten.

Wer das verinnerlicht hat, allerdings ohne sich dem Thema je wissenschaftlich genähert zu haben, ist meine Schwester Maya. Mit ihr einzukaufen ist großartig. Sie betritt zum Beispiel ein Schuhgeschäft, mit dem festen Willen, ein Paar Schuhe zu kaufen. Sie probiert mehrere Paare an, lässt sich gegebenenfalls aus dem Lager oder einer anderen Filiale noch weitere Modelle bringen – und ganz kurz vor dem Vollzug des Kaufs ändert sie meist ihre Meinung und sagt: «Ich überleg's mir und komme später noch mal wieder.» Was sie natürlich nie tut. Wenn man mit ihr durch eine Fußgängerzone, ein Shopping-Center, ein Flughafen-Terminal oder ähnliche Orte geht, lässt sie es grundsätzlich nie aus, eine Parfümerie aufzusuchen, in der sie sich mit Parfüm bestäubt, einen Flakon oder einen neuen Badeschaum in Richtung Kasse trägt, doch sobald sie in der Schlange steht, langweilt sie das Ganze, sie stellt die Schachtel wieder ab und sucht das Weite. Diese fortgeschrittene Version des altbewährten, aber letztlich nur Begehrlichkeiten weckenden «Window-Shoppings» funktioniert natürlich nur, wenn man eine echte Kaufabsicht verfolgt. In einen Laden zu gehen, um die Verkäufer zu belästigen, macht keinen Spaß.

Was meine Schwester, Ernst Bloch und Professor Schultz verstanden haben: Der Konsum, zu dem wir durch die Werbung und das schiere Angebot animiert werden, vermittelt uns in den seltensten Fällen Vergnügen. Die Dinge, für die am meisten Geld ausgegeben wird, sind bei näherer Betrachtung nichts weiter als überflüssiges Zeug, wertlose, unnütze Glasperlen, die uns die Werbung als unverzichtbar eingeredet hat. Man betrachte den Begriff «Wertgegenstände» einmal für einen Moment aus der Perspektive eines Einbrechers: Das, was sich lohnt, aus jeder beliebigen Wohnung zu entwenden, sind in erster Linie technische Geräte, Fernsehapparat, DVD-Spieler, Stereoanlage, Computer. Alles Dinge, die bereits nach zwei, drei Jahren veralten und keinen Wiederverkaufswert haben. Der Historiker Rolf Peter Sieferle behauptet, dass wir uns trotz unseres relativen Massenwohlstands zu einer «Gesellschaft von Eigentumslosen» entwickelt hätten. Heute hat die Gesellschaft zwar quer durch alle sozialen Schichten hindurch Hunderte Habseligkeiten, doch eine verschwindend kleine und immer kleiner werdende Schicht verfügt über tatsächliche Werte.

Die Einkünfte schon für einen Angehörigen der unteren Mittelschicht können immens sein – ein Facharbeiter kann in seinem Leben weit über eine Million Euro verdienen –, doch sein persönliches, nachhaltiges Eigentum wird im Regelfall nur einen Bruchteil dessen betragen, was er erwirtschaftet hat, weil er es inzwischen für wertlosen Ramsch oder sinnlose Zeittötung ausgegeben hat: Reisen auf die Seychellen, Flaschenregale aus instabil verschraubtem Weichholz, Fonduegeschirr, Waffeleisen, Clubmitgliedschaften, Eis- und Joghurtmaschinen, Gelpantoletten, Activity-Rucksäcke, Kombijacken, Reisezwiebelschneider, Waagen, die das Körperfett getrennt von der Restkörpermasse wiegen, Fleischwölfe aus «gebürstetem Edelchrom», Fusselfräsen mit Auffangbehälter, elektrische Massagegeräte, Chipstüten-Thermoversiegler, zwei Saftpressen, eine Chi-Maschine, Designerpfannen und magnetische Nackenkissen.

Einer der erfreulichsten Aspekte relativer Verarmung ist, dass man dadurch endlich die Chance bekommt, sich von all dem Wohlstandsmüll zu befreien. Damit einem das gelingt, muss man sich allerdings zunächst der Gehirnwäsche bewusst werden, der man als gedankenloser Dauerkonsument ausgesetzt ist. Warum schafft es die Werbung immer wieder, einem Dinge als absolut notwendig einzureden, obwohl sie in Wahrheit nur lästig sind? Warum gelingt es «Starbucks», uns zum Bestellen eines Frapuccinos mit Karamellgeschmack, der mit Schokoladenstreusel besprenkelt ist, zu verführen, obwohl eine Tasse Kaffee viel mehr nach unserem Geschmack ist? Warum geben die einen, an diesem Ende der sozialen Skala, ihr Geld für wechselnde Klingeltöne am Handy aus und warum die anderen, an jenem Ende der Skala, für Mouton-Cadet, dessen Etikett an die großen Châteaus erinnert, der jedoch nichts als ein zusammengemischter Massenrotwein ist? Warum gelingt es Gillette, regelmäßig einen neuen Rasierapparat mit absurden Namen wie «MACH 3 Turbo» auf den Markt zu bringen und uns jedes Mal aufs Neue zu überzeugen, dass er noch glatter rasiert als der Vorgänger?

Um die Mechanismen der Werbung zu verstehen, ist ein Buch besonders geeignet, Frédéric Beigbeders «Neununddreißigneunzig». Beigbeder war selbst zehn Jahre lang Werbetexter. Seine Hauptfigur Octave Parango, dem seine Welt zuwider ist, in der alles, er selbst eingeschlossen, käuflich ist, sagt an einer Stelle: «Wenn Sie genug gespart haben, um sich den Traumwagen leisten zu können, den ich in meiner letzten Kampagne lanciert habe, ist der durch die nächste Kampagne längst überholt. Ich bin Ihnen immer drei Wellen voraus und enttäusche Sie zuverlässig. Glamour ist das Land, in dem man nie landet. Ich fixe Sie mit Neuheiten an, die den Vorzug haben, dass sie nicht neu bleiben … Mein Amt ist es, Ihnen den Mund wässrig zu machen. In meinem Metier will keiner Ihr Glück, denn glückliche Menschen konsumieren nicht.» Doch schon in den zwanziger Jahren des letzten Jahrhunderts bläute ein Werbefachmann den Geschäftsleuten in Philadelphia ein: «Verkaufen Sie ihnen, wonach sie sich sehnen, was sie erhofften, worum es ihren kühnsten Träumen geht … Menschen kaufen nicht, was sie brauchen. Sie kaufen Hoffnung – sie hoffen auf das, was Ihre Ware ihnen schenken wird.» Werbebotschaften sind, wenn man genau hinhört, Sinnversprechen, doch wenn die Waren wirklich Sinn bringen würden, ginge der Umsatz schnell zurück, das System funktioniert also mit der ständigen Vorenthaltung des eigentlich Versprochenen. Es ist das einfache System vom Esel und der Karotte am Stock.

Eine Karotte, die sich als besonders effektives Lockmittel erwiesen hat, ist die Verheißung von Exklusivität. Die Hoffnung also, eine Uhr zu besitzen, die einem nicht nur die Uhrzeit verrät, sondern auch das Gefühl vermittelt, einem erlauchten Kreis von Menschen anzugehören. In einer Zeit aber, in der sich jeder Billig-Textil-Konzern einen Star-Couturier und jede Supermarktkette einen Sternekoch als Biokost-Berater hält, wird dieses Unterfangen immer schwieriger. Langsam lässt sich selbst dem blauäugigsten Konsumenten nicht mehr weismachen, dass Massenartikel Luxusprodukte sind. Lange funktionierte das gut, und durch das Prinzip der künstlichen Verknappung konnte die Illusion aufrechterhalten werden, ein zigtausendfach in Fabriken hergestelltes Produkt sei Luxus. Die Luxuskonzerne achteten darauf, die Begehrtheit ihrer Waren dadurch zu erhöhen, dass der Markt nicht überschwemmt wurde. Wer einen Kelly-Bag von Hermès oder eine Rolex-Daytona haben wollte, musste gegebenenfalls monatelange Wartezeiten in Kauf nehmen, obwohl es technisch überhaupt kein Problem wäre, die Nachfrage sofort zu befriedigen.

Mittlerweile kann man selbst im Ruhrgebiet kein öffentliches Verkehrsmittel mehr betreten, ohne mindestens drei Personen mit Gucci- oder Louis-Vuitton-Taschen gegenüberzusitzen. Auch schämt sich heute niemand mehr, wenn er statt des teuren Originals billige Kopien besitzt, ja es gilt geradezu als uncool, die echte Tasche zu haben. Raubkopien umweht nämlich der Hauch des Verwegenen, Weitgereisten, denn täuschend echte Replikate bekommt man eben nicht in der Hauptgeschäftsstraße von Bietigheim-Bissingen, sondern nur in Hongkong und Bangkok. Wenn selbst meine Schwester Gloria offen in einem «Spiegel»-Interview bekundet, dass sie statt Louis-Vuitton-Taschen lieber gute Fälschungen für ein Zehntel des Preises kauft («Die Originale sind doch nur was für russische Oligarchen»), wenn eine Frau wie meine Schwiegermutter mit der größten Selbstverständlichkeit mit einer in Hongkong erstandenen Quasi-Cartier-Uhr ins Cartier-Geschäft in München geht, um sich das Armband kleiner machen zu lassen, und auf den diskreten Hinweis der Verkäuferin, dass es sich um eine Fälschung handle, mit einem nonchalanten «Ich weiß» antwortet, dann ist offenbar: Die Zeit der industriellen Luxusgüter ist endgültig vorbei.

Und was ist mit den klassischen Prestigesymbolen Gold und Edelsteinen? Zur Distinktion taugen sie nur noch insofern, als, wer sie trägt, sich schon von weitem als geschmacksunsicher zu erkennen gibt und sicher erst vor fünf Minuten zu Geld gekommen ist. Wer nach unbeschwertem Umgang mit «edlem» Schmuck sucht, schaltet am besten einen der Home-Shopping-Kanäle wie QVC an. Dort wird noch angeboten, was man auf der Bahnhofstraße in Zürich oder auf dem Jungfernstieg in Hamburg heutzutage nicht mehr findet: bratwurstbreite Goldketten, Ringe, so dick wie Furunkel, Colliers der Linie «il Re» («für königliche Ansprüche»), welche ehrfurchtsvoll von Moderatoren namens Bob in die Kamera gehalten werden, die einem versichern, dass auch «Könige und Prinzen» edle Geschmeide in Knotendesign bevorzugen, es diese aber nur in limitierter Auflage gebe und man am besten sofort anrufe, um sich noch ein Exemplar zu sichern.

Bei technischem Spielzeug funktioniert die Distinktion ebenfalls umgekehrt wie früher, als etwa ein Funktelefon ein Statussymbol war. Als die allerersten tragbaren Modelle auf den Markt kamen, erregten sie noch Aufsehen. Mit einer gewissen Wehmut denke ich an mein erstes Mobiltelefon der Marke Siemens zurück. Es hatte die Ausmaße einer mittelgroßen Damenhandtasche und wog etwa fünf Kilo. Wenn es klingelte, gab es einen hektischen Alarmton von sich, der in jedem Zugabteil für entsetzte Blicke sorgte. Heute gibt es kaum mehr gewöhnlichere Gegenstände als Handys, und wer sich unterscheiden will, verzichtet auf die permanente fernmündliche Erreichbarkeit. Wenn erwachsene Menschen mit jenem starren Blick, den man eher mit Nintendo-süchtigen Kindern als mit denkenden Menschen assoziiert, immer und überall auf ihren Handys rumtippen, hat das etwas überaus Lächerliches. Eine Bundeskanzlerin Merkel, die auf der Regierungsbank mit jenem Nintendo-Blick sitzt und pausenlos SMS verschickt, ist eigentlich unvorstellbar.

Prestige und Status definieren sich weiterhin durch Konsum, aber eben eher durch Verzicht auf diesen. Materieller Überfluss hatte in der Geschichte in den seltensten Fällen die Funktion, Vergnügen zu bereiten – dazu ist er ohnehin

176

denkbar ungeeignet. Thorstein Veblen stellte in seiner bereits erwähnten «Theorie der feinen Leute» (1899) die These auf, Geldverdienen sei ein Zeichen von charakterlicher Stärke und Intelligenz, Armut dagegen von Versagen. Diese für einen Puritaner wie Veblen typische Sicht war leider bis vor kurzem sehr einflussreich. Wer sich ein neues Auto leisten konnte, war ein wertvolles und fleißiges Mitglied der Gesellschaft, wer mit einer alten Karre durch die Welt kutschierte, ein fauler, unfähiger Taugenichts. Nach der kapitalismusgläubigen Weltsicht eines Veblen ist man geradezu zum Konsum verpflichtet, denn dieser ist das sichtbare Zeichen von Fleiß. Materieller Überfluss war also lange geradezu eine Frage des bürgerlichen Anstands und der Ehre. Glücklicherweise hat sich das vollkommen geändert. Wer im Überfluss schwelgt, gilt heute als suspekt (Russe? Zuhälter? Tanja Gsell?), wahrer Luxus besteht vielmehr in der Selbstbehauptung gegen den Konsumzwang, der, wie sich herausgestellt hat, unser Leben eher belastet als erleichtert. So kann die Zeit des sinkenden Wohlstands, wenn wir es geschickt anstellen, paradoxerweise dazu führen, dass unsere Lebensqualität steigt.

Seit der letzten Dekade des letzten Jahrtausends hat sich eine Gegenbewegung zur Überflussgesellschaft herausgebildet, in Amerika fing es mit Büchern wie «Clutter's Last Stand» (1984) und «Voluntary Simplicity» (1989) an, und spätestens seit Naomi Kleins «No Logo» (2000) wurde die Ablehnung global agierender Konzerne zum Kennzeichen der Avantgarde. Als weltweite Zentrale der Anti-Konsumismus-Bewegung gilt vielen Vancouver in Kanada. Dort lebt Kalle Lasn, der Autor von «Culture Jam». Er gibt vierteljährlich das Magazin «Adbusters» heraus, das nicht nur für seine kulturtheoretischen Texte bekannt wurde, sondern vor allem durch seine «Uncommercials», Anti-Anzeigen, die die Psychologie der Werbung nutzen, um diese und den Konsumwahn lächerlich zu machen, zu dem sie anstachelt. Eine seiner berühmtesten Anti-Anzeigen ist eine Parodie auf Calvin Kleins Werbung, auf der ein Mann voller Stolz in seine Unterhose guckt, darüber der Schriftzug: «Obsession». Auf einer anderen ist die Werbefigur von Camel, Joe Camel, als Krebspatient namens Joe Chemo im Krankenhausbett zu sehen.

Im gleichen Stil gibt es auch Anti-Werbespots von Kalle Lasn, aber gezeigt werden sie nur auf Filmfestivals, denn die Fernsehanstalten wollen naturgemäß ihre Werbekunden nicht vergraulen. Für Lasn wäre die Ausstrahlung seiner «Uncommercials» im Fernsehen, das Vordringen in die «Kommandozentrale der Konsumkultur», der größte Triumph. Seine Spots bewerben die «fernsehfreie Woche», klagen die Schönheitsindustrie satirisch als Verursacher von Bulimie und Magersucht an und provozieren die Autoindustrie. Die meisten dieser «Uncommercials» werden von Menschen gemacht, die in der Werbung gute Jobs haben und nebenbei, «aus schlechtem Gewissen», wie Lasn sagt, für ihn arbeiten.

Um sein Zwangskaufverhalten in den Griff zu kriegen, kann man kleine Tricks anwenden. In Amerika haben einige Konsumismus-Dissidenten den «Buy Nothing Day» erfunden, was eine geniale Sache ist, weil man daraus wirklich einen Sport machen kann. Man nehme sich einen Tag der Woche vor, zum Beispiel Freitag, an dem man sich zwingt, keinen Cent auszugeben, weder bar noch mit Karte. Das ist gar nicht so leicht: Wer dieses Spiel probiert, wird merken, wie viele nahezu unbewusste Kaufentscheidungen man jeden Tag trifft. Idealerweise sollte man, um mitspielen zu können, keinen bargeldintensiven Hobbys

wie Rauchen oder zwanghaftem Coffee-to-go-Kaufen an-
hängen.

Ebenfalls in den USA entstand eine Initiative, die das
«Kreditkarten-Kondom» populär machen wollte. Die
Leute sollten ihre Kreditkarten in kleine Umschläge stecken, auf denen Fragen wie «Do you really need that?» oder
«Are you buying this to fill some kind of inner hole?» standen. Bei jedem Kauf mussten sie ihre Kreditkarte erst aus
dem Kreditkarten-Kondom herausnehmen. Die Sache
setzte sich, was kaum überraschen kann, nicht durch. Aber
die Idee dahinter stimmt schon: Das meiste, was man
kauft, ist überflüssig, und die Dinge, die man aus Sparsamkeit kauft, erst recht.

Vor einer Sache muss nämlich gewarnt werden: Pfen-
nigfuchserei. Durch wenige Dinge wird so viel Geld verschwendet wie durch Schnäppchenjagd. Als die Rezession
begann, wurde der Markt mit hunderterlei Büchern überschwemmt, die einem Ratschläge erteilten, wie man der
Wirtschaftslage eine Schnippe schlagen kann, indem man
bei Aldi Champagner für dreizehnfünfzig und bei Verstei-
gerungen des Fundbüros der Deutschen Bahn Mountain-
bikes für 40 Euro ergattert. Die Frage, die man sich stellen
sollte, ist aber doch: Braucht man tatsächlich den be-
scheuerten Champagner, und braucht man wirklich ein
Mountainbike, wenn man zum Beispiel in Hamburg lebt
und dreihundert Kilometer in jede Himmelsrichtung
keine Erhebung zu finden ist, die einem Mountain nahe
kommt?

Die Ladenketten haben unser zwanghaftes Zulangen bei
Produkten, deren Preise sichtbar heruntergesetzt sind,
längst erkannt, daher findet man ja bei Schlecker kaum
noch Sachen, die nicht «im Angebot» sind, mit dem Resultat, dass Leute Doppelpackungen Sagrotan-Aufwischtü-

cher kaufen, die dank der Tankladungen von Domestos, die sie unter ihrer Spüle lagern, ganz gut ohne sie auskommen könnten. Ich habe einen Freund in der Schweiz, der fing damit an, Dinge nur dann zu kaufen, wenn sie im Angebot waren. Das ist ja noch recht vernünftig. Schließlich aber ging er dazu über, grundsätzlich alles zu kaufen, was im Angebot war. Erst bei Katzenstreu machte er endlich Halt, weil ihm einfiel, dass er keine Katze hat.

Die Abkehr vom Überfluss ist nichts wirklich Neues. Diese Reaktion zeichnet das Ende jeder Wohlstandsepoche aus. In der Schlussphase der Antike hatte dies vorwiegend ästhetische Gründe, im Mittelalter religiöse und am Höhepunkt der industriellen Revolution in England waren es vor allem Romantiker und Salonsozialisten wie John Ruskin und William Morris, bei denen der Konsumismus Unbehagen auslöste. Doch nie waren diese Strömungen dazu geeignet, wirkliche breite Kreise in ihren Bann zu ziehen, weil ihnen stets etwas Moralisierendes anhaftete. Als John Ruskin im 19. Jahrhundert seinen Landsleuten vorwarf, vor lauter wirtschaftlichem Fortschritt den Sinn für die wesentlichen Dinge des Lebens aus dem Auge zu verlieren («Es gibt keinen anderen Reichtum als Leben mit all seiner unendlichen Fähigkeit zu Liebe, Freude und Bewunderung»), schrieb der Kritiker der «Saturday Review», Ruskins Ton erinnere an den einer «keifenden Gouvernante».

Heute ist die Lage anders. Erstmals ist es nicht eine Frage von Tugend oder Moral, ob man sich vom Konsumismus abwendet, auch Umweltschutz-Argumente taugen nicht wirklich dafür, die Menschen zu sehr viel mehr als Mülltrennung zu bewegen. Wir können gar nicht umhin, uns einzuschränken. Und da wir erkannt haben, dass unser heiliges Wohlbefinden leiden würde, wenn wir so weitermachen könnten wie bisher, hat unsere Abkehr vom Überfluss etwas Befreiendes. Die Industrie versucht, diese Entwicklung aufzufangen, indem sie uns mit Wellness- und Fitnessprodukten überschwemmt, was zur Folge hat, dass man die meisten Seifen und Hautcremes, die heute angeboten werden, ohne Schaden davonzutragen auch als Brotaufstrich verwenden könnte. Doch der Boom dieser Produkte ist nur ein Etappensieg der Industrie. Es ist lediglich eine Frage der Zeit, bis sich auch in den letzten Winkel der konsumgesättigten Welt herumgesprochen hat, dass man Wohlstand nicht kaufen, wohl aber erreichen kann, indem man einfach weniger kauft.

Teil III

Zeit zum Lesen

**Die Herzen der Kinder
sehnen sich nach echter Liebe,
um frei zu sein.
Hermann Gmeiner**

Die Herzen der Kinder
sehnen sich nach echter Liebe,
um frei zu sein.
Hermann Gmeiner

Zeit zum Lesen

«Aber ich kann doch nicht umhin, zur Armut zu sagen: sei willkommen, sobald du nur nicht in gar zu späten Jahren kommst. Reichtum lastet mehr das Talent als Armut und unter Goldbergen und Thronen liegt vielleicht mancher geistige Riese erdrückt begraben.»

JEAN PAUL

Die armen Reichen

Weshalb Geld dem Glück im Wege steht

Es sollte klar geworden sein, dass die allermeisten Dinge, die uns als «Luxus» angepriesen werden, ziemlich geschmacklos und lästig sind. Wer braucht schon Trüffel, wenn es frisches Brot mit Butter und Salz gibt? Wären Matjesfilets so teuer wie Kaviar, die Tanja Gsells dieser Welt würden sie mit der größten Andacht essen und ihren kleinen Finger dabei in die Luft spreizen.

Solange man keine Existenzängste haben und nicht darben muss, seine Miete zahlen und sich die Dinge leisten kann, die einem wirklich wichtig sind, kann man ein glückliches und auch stilvolles Leben führen – es sei denn, man träumt davon, reich zu sein. Dann wird die Diskrepanz zwischen der Situation, in der man ist, und der, in der man gerne wäre, zur Quelle ewiger Unzufriedenheit. Daher ist eines der sichersten Rezepte, sich unglücklich zu machen, das Lottospielen.

Glück hängt nicht davon ab, über wie viele Konten man verfügt. Es wird durch Reichtum nicht einmal sonderlich begünstigt. Viele reiche Menschen wissen das und sehnen sich nach dem «einfachen Leben». Doch sosehr sie sich auch bemühen, sich von der Last des Überflusses zu befreien, letztlich bleibt ihre Sehnsucht nach dem «simple life» stets unerfüllt. Der Verarmende hingegen muss keine Willensanstrengung unternehmen, um ein stilvolles, vom Überfluss bereinigtes Leben zu führen. Seine Situation zwingt ihn schlicht dazu. Reiche hingegen bleiben immer Gefangene ihres Geldes, ob sie sich daran festklammern oder versuchen, ihm zu entfliehen. Die wirklich Armen sind – sosehr der Kapitalismus auch versucht hat, uns vom Gegenteil zu überzeugen – die Reichen. Sie werden beneidet, weil sie viel verdienen, dabei verdienen sie hauptsächlich eines: Mitleid.

Die meisten reichen Menschen werden zum Beispiel ständig von der Angst verfolgt, ausgeraubt zu werden. Ich kenne ein Ehepaar, das in einer wunderschönen Villa mit Meerblick in St. Tropez wohnt. Traumhaft, denkt man sich als Außenstehender. Tatsächlich leben die beiden dort wie in einem Gefängnis, denn das Haus ist voller wertvoller Kunstschätze, im Eingangsbereich steht eine Plastik von Giacometti, im Esszimmer hängt ein Renoir, im Wohnzimmer ein Picasso, und die Versicherung hat sich nur unter einer Bedingung dazu bereit erklärt, eine Police abzuschließen: Es muss immer jemand im Haus sein, das Grundstück rund um die Uhr von einem Sicherheitsdienst bewacht werden. Das Ehepaar, das sich die Villa einst angeschafft hatte, um an der Riviera einen schönen Lebensabend zu verbringen, verlässt sein Anwesen nie gemeinsam, und beide mussten sich daran gewöhnen, dass, wenn sie abends in ihrem goldenen Käfig sitzen, etwa alle halbe Stunde ein bärtiger «Securitas»-Mann durch ihr Panoramafenster starrt, um sich zu überzeugen, dass alles mit rechten Dingen zugeht.

Einer der ärmsten Reichen, der mir je begegnet ist, heißt Marc Rich. Er heißt wirklich so. Sein Vermögen machte der Amerikaner mit Rohstoffhandel, allerdings ließ er sich bei Steuerhinterziehung, Betrug und illegalen Geschäften mit dem Irak und Libyen erwischen und landete auf der Fahndungsliste des FBI. Er flüchtete in die Schweiz, wo ihm der Kanton Zug Asyl gewährte. Von da an durfte er die Schweiz nicht mehr verlassen, weil er sonst seine Verhaftung riskiert hätte. Bald litt Mister Rich, der es gewohnt war, mit seinem Privatjet an jeden Ort zu fliegen, der ihm beliebte, unter akuter Schweiz-Klaustrophobie, von der ihn erst Bill Clinton befreite, dessen letzte Amtshandlung es war, Rich zu begnadigen. Bis heute ist nicht geklärt, ob Clinton dafür ein kleines Dankeschön in Form eines Nummernkontos in der Schweiz erhalten hat oder nicht. Aber das ist eine andere Geschichte. Marc Rich jedenfalls war jahrelang das Paradebeispiel für den Insassen eines luxuriösen Gefängnisses, ein Menschentypus, der an Orten wie Zug, Monte Carlo oder auf den Bermudas häufig anzutreffen ist. Die dort lebenden Menschen sind überwiegend Steuerflüchtlinge, eine besonders bemitleidenswerte Spezies: Menschen, die es sich leisten könnten, überall auf der Welt zu wohnen, aber mit einer kleinen Insel oder einem Kaff wie Zug vorlieb nehmen müssen, nur weil sie von der Angst verfolgt sind, ein paar ihrer Millionen an die Steuerbehörden abzutreten. Für ihren Lebensstandard würde das zwar in den allermeisten Fällen keinen Unterschied machen, doch die Phobie, etwas von ihrem Geld abgeben zu müssen, zwingt sie dazu, ihr Dasein an einem Ort zu fristen, den sie nicht ausstehen können und an dem sie noch dazu entsetzlich einsam sind.

Apropos Einsamkeit: In München habe ich einmal die Bekanntschaft eines netten jungen Mannes gemacht, der in so genannten kleinen Verhältnissen aufgewachsen und schon in jungen Jahren zu Geld gekommen war, weil er einen Profivertrag beim führenden Fußballverein der Stadt ergattert hatte. Der Junge sah keine Veranlassung, sich andere Freunde zu suchen, nachdem er in eine andere Gehaltsklasse enteilt war. Doch wenn er mit seinen alten Freunden ausging, war alles anders. Natürlich bestand er darauf, die Rechnung zu bezahlen, und auf Dauer war ihnen das unangenehm. Irgendwann mischten sich Leute in seinen Freundeskreis, denen es nichts ausmachte, eingeladen zu werden. Der Kontakt zu seinen alten Freunden wurde immer lockerer, auch die Schmarotzer wurde er bald los, inzwischen sieht man ihn fast nur noch in Gesellschaft von Menschen, die einer ähnlichen Gehaltsklasse angehören. Für ihn ist das die einzige Möglichkeit, sicherzugehen, nicht ausgenützt zu werden. Sein Freundeskreis ist jetzt sehr homogen. Und sehr langweilig.

Ein besonders unangenehmer Aspekt des Reichseins ist der Umstand, dass Reiche stets darauf bestehen, nicht wegen ihres Geldes geliebt zu werden. Dabei ist es vollkommen unmöglich, jemanden *wegen* seines Geldes zu lieben. Man kann ihn allenfalls *trotz* seines Geldes lieben, denn Geld macht die meisten Menschen anspruchsvoll, wehleidig, kompliziert und komplexiert. Ganze Bibliotheken, Tausende Theaterstücke und Filme verdanken dieser Problematik ihre Existenz. Reiche heiratsfähige Menschen fürchten nichts so sehr, wie an jemanden zu geraten, der es auf ihr Geld abgesehen hat. Und je größer die Angst davor ist, desto größer ist die Wahrscheinlichkeit, dass genau das geschieht. Prinzessin Caroline von Monaco wurde ihre ganze Jugend hindurch davor gewarnt, sich mit einem Playboy einzulassen, der nur ihr Geld will – das Resultat war, dass sie auf Philip Junot hereinfiel, der genau den Typus verkörperte, vor dem ihre Eltern sie gewarnt hatten. Dazu statt weiterer deprimierender Fallstudien lieber ein Witz. Zwei New Yorker Ladys sehen sich nach ewiger Zeit wieder. Die eine trägt einen riesigen Diamanten am Finger. «Ach, wie schön der ist», sagt die eine. «Ja», sagt die andere, «das stimmt. Schade nur, dass der Platnik-Fluch auf ihm lastet.» Was denn der Platnik-Fluch sei, will die erste wissen, darauf die andere: «Herr Platnik.»

Die allermeisten reichen Menschen sind leider ziemlich unerträglich – alle mit mir befreundeten Millionäre natürlich ausgenommen. Erträglich sind sie eigentlich nur dann, wenn sie geerbt haben, also nichts für ihren Reichtum können. Nicht selten versuchen sie dann, ihr Geld so schnell wie möglich unter die Leute zu bringen, oder so zu tun, als seien sie nicht reich, was recht angestrengt wirken kann und wahrscheinlich auch anstrengend ist.

In Gstaad geriet ich einmal in eine Gruppe junger Leute, die Kinder von ungewöhnlich reichen Eltern waren. Gstaad ist ein kleiner Bergort im Berner Oberland, in dem sich während der Saison eine derartige Konzentration von extremem Reichtum ballt, dass in der verkehrsberuhigten Hauptstraße an sonnigen Tagen sicher das addierte Bruttosozialprodukt der Anwärter auf die EU-Mitgliedschaft spazieren geht.

Die Ureinwohner, das Berner Bergvolk, das ohnehin als etwas grimmig gilt, betrachten die Milliardäre, die das Dorf okkupiert haben, mit einer Mischung aus Misstrauen und der Bewunderung, die man einer ertragreichen Milchkuh entgegenbringt. Den Teenagern, die allesamt Namen trugen, die vom Dow Jones gelistet werden, war es sichtlich peinlich, hier zu sein, sie gaben vor, sie seien ihren Eltern zuliebe mitgekommen. Alle waren aufs sympathischste bemüht, durch ihr Äußeres und ihr Gehabe alles andere als reich zu wirken. Ihre Hosen waren so schlabbrig wie die der Ghetto-Kids auf MTV, sie hörten Eminem und The Streets, und ihre Prahlerei bestand darin, dass sie behaupteten, mit dem «normalen Leben» vertraut zu sein. Der eine sagte, er sei aus dem Haus seiner Eltern in der Avenue Foch ausgezogen und wohne nun in einer heruntergekommenen WG am unattraktiven Stadtrand von Paris, von wo er jeden Tag mit der Metro zur Schule fahre. Der andere gab vor, von seinem Vater äußerst knapp gehalten zu werden; er habe, weil er es satt hatte, auf seinen Nachnamen angesprochen zu werden («Sie meinen Dell? Nicht etwa Dell, wie Dell-Computers?»), den Mädchennamen seiner Mutter angenommen. Einer von ihnen war offenbar eine Art Anti-Globalisierungs-Jet-Setter. In seinen Ferien reiste er zu Demos gegen G-8-Meetings oder Weltwirtschaftskonferenzen. Mit Stolz erzählte er, «damals in Davos» dabei gewesen zu sein, als das World Economic Forum gesprengt wurde.

Dass Erben ein Handicap sein kann, zeigt auch der Fall eines mir bekannten jungen Mannes. Sein Vater, ein millionenschwerer Geschäftsmann, hatte sich immer gewünscht, dass sein Sohn in seine Fußstapfen treten, an der gleichen Universität wie er Betriebswirtschaft studieren und später einmal seine Unternehmen leiten würde. Wie so oft in solchen Fällen hat der junge Mann ganz andere Vorstellungen. Sein Traum ist es, Künstler zu werden. Zwar drohte sein Vater, ihm die monatlichen Überweisungen zu kürzen oder sogar ganz zu streichen, doch selbstverständlich zahlt er weiter. Und genau das ist eine ziemliche Katastrophe für meinen jungen Freund, dessen Namen ich hier aus Sympathie nicht nennen will: Er sitzt nun in einem Atelier in Nord-London, malt seine Bilder und wird es nie weit bringen, weil er nicht den Druck hat, den die Künstler spüren, die in den Ateliers neben und unter ihm arbeiten und manchmal nicht wissen, woher sie die Miete für den nächsten Monat nehmen sollen. Womöglich hat er sogar mehr Talent als seine darbenden Mitbewerber, aber zur Entfaltung kommen kann es unter diesen Umständen nur schwer. Genau das ist es wohl, was Jean Paul meinte, als er schrieb, dass unter «Goldbergen und Thronen ... vielleicht mancher geistige Riese erdrückt begraben» liege.

Bei meiner jahrelangen Ausgesetztheit unter sehr, sehr reichen Menschen habe ich ein interessantes Phänomen beobachten können: Reiche Menschen mit Geschmack haben von jeher versucht, ihr Leben zu simplifizieren, und je reicher sie sind, desto mehr empfinden sie es als Luxus, ein «normales» Leben zu simulieren. Je größer die Schlösser auf dem Land, in denen sie wohnen, desto mehr sehnen sie sich nach einer Stadtwohnung, die zwar mit allen Annehmlichkeiten ausgestattet, aber möglichst klein sein sollte. Zum Luxus gehört es dann, sich nicht an einen gedeckten Tisch zu setzen und das zu essen, was irgendwo im Küchentrakt für einen zubereitet wurde, sondern zum Markt (besser noch: zum Supermarkt) zu gehen und mit einer prall gefüllten Plastiktüte nach Hause zu kommen, selber zu kochen und später eigenhändig abzuwaschen.

Der gleiche Geist steht übrigens hinter der von Illustriertenlesern neidisch begafften Sitte reicher Menschen, ihre Sommerferien auf einer Yacht zu verbringen. Das Yachtleben ist nichts anderes als Camping für Reiche: Man genießt es, auf engstem Raum zusammengepfercht zu sein, zu zweit oder zu dritt in einer winzigen Kabine zu schlafen, ein Badezimmer benutzen zu müssen, in dem man sich nicht umdrehen, geschweige denn ein Vollbad nehmen kann, sondern Katzenwäsche betreibt, um das Reservoir im Wassertank zu schonen. Man erfreut sich daran, den ganzen Tag im T-Shirt herumzulaufen, kurz, mit dem «einfachen Leben» auf Tuchfühlung zu sein. Die Illustriertenleser sehen die Fotos, wie sich die Herrschaften auf dem Achterdeck in der Sonne rekeln, und denken sich Gott weiß was über deren mondänes Leben. In Wahrheit versuchen die Begafften nur krampfhaft, das Leben der Illustriertenleser zu simulieren, wobei sie, weil Lesen in der Sonne anstrengend sein kann, genau die gleichen Illustrierten lesen wie die Gaffer.

Über die Simulation des «einfachen Lebens» durch die Reichen kann man sich lustig machen oder sie als «dekadent» beschimpfen. Doch ist das nicht, bei Lichte betrachtet, mit der Vorliebe von Otto Stadtbürger vergleichbar, der beim Wandern, Camping, Picknick oder Grillen Naturnähe simuliert? Auch der Camper will ja nicht völlig auf die Annehmlichkeiten der Zivilisation verzichten und der Liebhaber vom Grillen unter freiem Himmel nicht auf die industriell gefertigte Steaksauce. Der Wanderer will die Natur ebenfalls nicht gar zu unmittelbar erleben, er braucht erstklassige Schuhe und eine Thermo-Aktiv-Jacke und möchte, nach überstandener Naturnähe, irgendwann wieder in sein trautes Heim zurück. Der Genuss des «einfachen Lebens» beschränkt sich bei uns allen, wenn wir ehrlich sind, hauptsächlich auf symbolische Gesten.

Hoch bezahlte Manager und körperlich unausgelastete Medienmillionäre, die ihrer Reisen in so genannte Luxus-Oasen am Roten Meer oder auf Mauritius inzwischen überdrüssig sind, haben etwas gefunden, das ihren Geschmack trifft: Sie heuern als Hirten bei einem Almbauern an. Mehrere Schweizer Touristikfirmen haben Ferienjobs auf der Alm im Angebot und können sich vor Anfragen kaum retten. Aber lange bevor diese Extremform der «Ferien auf dem Bauernhof» populär wurde, war das vorübergehende Eintauchen in das bäuerliche Leben für privilegierte Schichten ein probates Mittel, um sich von den Qualen der Zivilisation zu erholen. In Tolstois «Anna Karenina» gibt es eine hübsche Stelle, die das illustriert: Der Großgrundbesitzer Lewin inspiziert eines Tages seine Felder, auf denen die Heuernte vonstatten geht, und entschließt sich, selber einmal die Sense in die Hand zu nehmen. Die Arbeit gefällt ihm so gut, dass er mit den Bauern mehrere Tage mähen möchte. Darüber kommt es zu folgendem Dialog zwischen ihm und seinem Bruder Sergej Iwanowitsch:

«Ich mag diese Arbeit sehr», bemerkte Sergej Iwanowitsch.

«Ich liebe sie ebenfalls über alles; ich habe selbst schon manchmal zusammen mit den Bauern gemäht und will es auch morgen den ganzen Tag tun.»

Sergej Iwanowitsch hob den Kopf und blickte den Bruder gespannt an.

«Wie? Gemeinsam mit den Bauern den ganzen Tag?»

«Ja, das ist herrlich», entgegnete Lewin.

«Das ist sicherlich sehr schön als Körperübung, aber wirst du es wirklich aushalten?», fragte Sergej Iwanowitsch ganz ernsthaft ohne den geringsten Spott.

«Ich habe es schon versucht. Zuerst ist es anstrengend, aber dann gewöhnt man sich daran. Ich glaube, ich schaffe es ...»

«Sieh einer an! Aber sag mal, wie denken die Bauern darüber? Wahrscheinlich finden sie den Herrn komisch und machen sich über ihn lustig.»

«Nein, ich glaube kaum; die Arbeit ist so unterhaltend

und zugleich auch anstrengend, dass man gar keine Zeit hat, sich Gedanken zu machen.»

«Aber wie willst du denn mit ihnen zu Mittag essen? Es wäre doch peinlich, dir Rotwein und gebratene Pute hinauszuschicken.»

«Ich fahre nach Hause, wenn die Leute ihre Ruhepause haben.»

Übrigens fuhr Lewin letztendlich nicht nach Hause, um dort seine gebratene Pute zu essen, denn «die Brotsuppe schmeckte so ausgezeichnet, dass Lewin es endgültig aufgab, zu Mittag heimzureiten».

Marie-Antoinette von Frankreich ging sogar so weit, im Park von Versailles ein Dörfchen bauen zu lassen, wo sie, wie eine Bäuerin gekleidet, mit einem Strohhut auf dem Kopf, frische Milch von ihren Kühen trank, selber Brot buk und Butter und Käse herstellte. Noch am Tag des Sturms auf die Bastille lief sie vergnügt mit Milcheimern aus Sèvres und nach ihren eigenen Brüsten geformten Milchtassen herum, denen sie den Namen «sein de la reine» (Königinnenbusen) gab. Solche Extravaganzen zeugen davon, dass die Sehnsucht nach dem «einfachen Leben» dem völlig verständlichen, meist aber etwas verzweifelten Wunsch entspringt, dem Fluch des Reichtums, wenigstens vorübergehend, zu entfliehen.

Die umgekehrte Erfahrung, der eigenen relativen Armut zeitweilig zu entfliehen und in die Welt des Überflusses einzutauchen, kann hingegen durchaus reizvoll sein. Vorausgesetzt, man kann mit Kontrasterfahrungen umgehen und hegt nicht den Traum eines Lottospielers, der sich nach einem Leben sehnt, das er nie haben wird und das ihn, hätte er es, nur unglücklich machen würde.

Eine der extremsten Kontrasterfahrungen, die ich je machen durfte, war ein Besuch beim Sultan von Brunei. Reiche haben ja, wenn sie über genügend Geschmack verfügen, das Bedürfnis, sich mit «normalen» Menschen zu umgeben. Die Queen soll einmal gesagt haben, sie zähle ausschließlich «nouveaux pauvres» zu ihren engsten Freunden. Den meisten wirklich Reichen bietet sich jedoch nur selten die Gelegenheit, der Seifenblase, in der sie leben, zu entkommen. Oft nutzen sie die wenigen Fenster, die ihnen dafür zur Verfügung stehen – die Schulzeit zum Beispiel, oder die Zeit beim Militär –, um Freundschaften zu schließen und so eine Verbindung zum wirklichen Leben herzustellen.

Der Sultan von Brunei freundete sich während seiner Studienzeit an der Militärhochschule im englischen Sandhurst mit einem englischen Farmerssohn an. Als dieser vor ein paar Jahren heiratete, ergriff der Sultan die Gelegenheit, die Welt des abgekapselten orientalischen Hofprotokolls einmal hinter sich zu lassen, und reiste zur Hochzeitsfeier nach England. Dort, mitten in der englischen Pampa, lernten meine Frau und ich den womöglich reichsten Mann der Welt kennen, der, wie man das so tut, im Laufe des Abends versprach, uns einmal nach Brunei einzuladen.

Als ungefähr ein halbes Jahr später frühmorgens das Telefon klingelte und am anderen Ende der Leitung jemand mit heftigem ausländischem Akzent irgendetwas murmelte, war ich sicher, dass dies nur der Besitzer der Kebab-Bude unten an der Ecke sein könnte, der höflich fragen wollte, ob seine Tochter heute wieder mit unserem Hund spazieren gehen dürfe. Es dauerte eine Weile, bis ich verstand, dass mir hier jemand, dessen Muttersprache Malai war, klar zu machen versuchte, dass wir zum 57. Geburtstag des Sultans von Brunei eingeladen waren.

Natürlich nahmen wir die Einladung an. Heikel war für uns allerdings die Frage, wie wir dorthin reisen sollten. Es gelang mir jedoch, dem Privatsekretär, versteckt unter zig Floskeln, verständlich zu machen, dass wir zwar gerne kommen würden, ein Flug quer über den Globus aber unser Budget sprengen würde. Schließlich flogen wir mit der hauseigenen Airline, Royal Brunei Airways. In der Spalte, in der bei meinen Tickets sonst immer steht «No Changes, No Refunds», war vermerkt: «On Royal Brunei Government Expenses».

Amüsant war, wie uns die Einladungen zugestellt wurden. Ein König lädt ja nicht selber ein, sondern befiehlt seinem Haushofmeister, dies zu tun. Auch schickt eine Majestät Einladungen nicht mit der Post, er lässt sie zustellen. Der Botschaftsrat des Sultanats in Berlin wurde also von Brunei aus beauftragt, die Einladung persönlich zu überbringen. Damals wohnten wir in Berlin-Kreuzberg, unsere Wohnung befand sich in einem nicht besonders schmucken Neubau neben erwähnter Kebab-Bude. Der Architekt hatte dafür gesorgt, dass über dem Eingang, vor den Briefkästen, ein kleiner Unterstand angebracht worden war. Da er aus Böblingen kam, war ihm bei der Planung natürlich nicht in den Sinn gekommen, dass sich so ein Unterstand in Berlin-Kreuzberg schnell zum beliebten Treffpunkt von Obdachlosen entwickeln würde. Bei Wind und Wetter bietet er Schutz, bei Hitze spendet er Schatten. Da Reinlichkeit nicht zu den herausragenden Tugenden von Kreuzberger Obdachlosen zählt, war unser Eingang eine Müllbucht, in der sich kaputte Bierflaschen, Unmengen von Zigarettenstummeln und sonstigem Abfall sammelten, wobei das Ganze von einer dezenten Urinnote abgerundet wurde.

Der Botschaftsrat der bruneiischen Botschaft muss geglaubt haben, in Kalkutta angekommen zu sein, als sein Chauffeur vor unserem Mietshaus vorfuhr, und auch die Obdachlosen staunten sicher nicht schlecht, als sie ihn sahen, wie er dem Mercedes mit Standarte entstieg, an ihnen und dem Müll vorbeitänzelte und die Einladung mit spitzen Fingern in unseren Briefschlitz steckte. Sie bestand aus einem Konvolut von Karten aus Büttenpapier, das so steif war, dass man es kaum biegen konnte. Bedruckt waren sie mit, man möchte sagen: Gold. Ordinärer Stahlstich war es jedenfalls nicht. Ich hob die Karten auf, da allein ihr Materialwert hoch genug erschien, um einen durch einen verdienstarmen Winter zu füttern.

Wenige Wochen später bestiegen Irina und ich das Flugzeug der Royal Brunei Airways, das von Frankfurt einmal die Woche über Dubai nach Brunei Daressalam (übersetzt: «Brunei, Hort des Friedens») fliegt. Sobald wir die Maschine betreten hatten, schien unser von wiederkehrenden finanziellen Unannehmlichkeiten begleitetes Leben weit weg zu sein. Wir reisten erster Klasse, was bei orientalischen Fluglinien eine Betreuung und Betüttelung bedeutet, die ich gerne auskostete; ich hielt mich wach, um keine Sekunde dieses Erlebnisses zu verpassen. Währenddessen schlief Irina seelenruhig, als säßen wir im Reisebus zwischen Cottbus und Eisenhüttenstadt. Der Kapitän kam jede Stunde aus dem Cockpit, um sich nach unserem Befinden zu erkundigen. Danke der Nachfrage, uns ging es blendend! Für mich konnte der Flug nicht lang genug dauern, aber irgendwann landeten wir doch und verließen die Klimakapsel des Flugzeugs, um ein bereits frühmorgens schwül-heißes Brunei zu betreten.

Am Flughafen empfing uns eine etwa zwölfköpfige Delegation des Hofes, angeführt von der Schwester des Sultans, die als Protokollchefin fungierte. Mittendrin ein Botschaftsrat der diplomatischen Vertretung Deutschlands im Sultanat, der nicht den Hauch einer Ahnung hatte, auf wen er hier wartete. Warum sollte er auch. Der Aufenthalt eines deutschen Grafen mit seiner Gattin ist nach dem Verständnis selbst des pflichtbewusstesten deutschen Beamten beim besten Willen nicht als «offizieller Besuch» zu werten. Für jeden Kreistagsabgeordneten hätte er diesen Aufwand notfalls in Kauf genommen, aber für einen Privatmann, über den er nach Rückfrage beim Auswärtigen Amt in Berlin nicht das Geringste in Erfahrung bringen konnte, schien ihm das alles zu Recht ein wenig übertrieben.

In einer Rolls-Royce-Kolonne fuhren wir zu einem der Gästehäuser des Sultans, das auf die Innentemperatur einer Kühlkammer klimatisiert war. Eine Schar lächelnder Bediensteter packte unser Gepäck aus, während ich mich im Haus umsah und meine Frau sich ein Bad einließ. Wir machten dabei zwei interessante Entdeckungen. Sie: Musste feststellen, dass auch der reichste Mann der Welt nicht immer über heißes Wasser verfügt; ihr Bad war lauwarm. Ich: Erfuhr endlich, wo die Monet- und Cézanne-Bilder landen, von denen es nach großen Impressionisten-Auktionen immer heißt, sie seien an einen unbekannten Bieter gegangen.

Nach den offiziellen Feierlichkeiten zum Geburtstag des Sultans, Militärparaden, Ordensverleihungen, Staatsbankett, waren wir zu einer Audienz geladen und betraten dazu einen Palast, der ausschließlich aus den Materialien Marmor und Gold erbaut zu sein schien. In den Vasen, die überall standen, waren keine Blumen, sondern Gestecke aus Edelsteinen, die Blumen nur imitierten, eine pflegeleichte, aber kostspielige Dekorationsidee. Wir hatten dem Sultan eine kleine Jugendstil-Porzellandose von KPM als

Geschenk mitgebracht, da von allen Materialien, an denen dem Sultan etwas liegt, Tonware die einzig erschwingliche für uns ist.

Erfreulicherweise entstammt der Sultan einer Kultur, in der es vor allem für Gastgeber üblich ist, Geschenke zu machen. Er ließ uns an jedem Morgen unseres Aufenthaltes ein kleines Präsent an die Tür bringen. Jeden Tag eine Uhr für Irina, jeden Tag eine Uhr für mich. Leider waren wir nur zwei Tage dort. Wenn wieder einmal Daueraufträge von der Bank mit der Bemerkung «Überweisung abgelehnt» an mich zurückgeschickt werden, bin ich in Versuchung, eine der Uhren zu verkaufen. Andererseits empfinde ich es als Luxus, manchmal meine Rechnungen nicht zahlen zu können, dabei aber eine Sonderanfertigung einer Schweizer Uhrenfirma am Handgelenk zu tragen, die mehr wert ist als ein Kleinwagen.

Es war gar nicht so leicht, nach dem Ausflug in diese völlig abgehobene Welt wieder in unsere kleine Kreuzberger Wohnung zu kommen, wo mich ein Stapel Mahnungen erwartete und eine SMS mit der Nachricht, dass mein Handy für abgehende Gespräche gesperrt sei («Ihr debitel-Team»). Andererseits lehrte mich diese Erfahrung endgültig, dass es sinnlos ist, den Lebensstil anderer als Maßstab für das eigene Leben heranzuziehen. Wer das tut, kann niemals reich sein, weil es – wie viel Geld man auch besitzen mag – immer jemanden geben wird, der noch reicher ist, noch prunkvoller lebt. Die Steigerungsmöglichkeiten sind schier unendlich. Man muss also lernen, sich reich zu fühlen dank der Dinge, die man hat, weil man sonst dazu verdammt ist, sich angesichts all der Dinge, die man nicht hat, immer arm zu fühlen.

Einmal interviewte ich für das Magazin «Esquire» Adnan Kashoggi, der in den achtziger Jahren oft als der «reichste Mann der Welt» bezeichnet wurde. Er saß in seinem Privatflugzeug, einem Boeing-Business-Jet, auf dem Flughafen von London-Heathrow fest, weil ein Lastwagen den Heckflügel seiner Maschine beschädigt hatte, und ließ sich von mir, während er auf ein Ersatzflugzeug wartete, befragen. Durch das Fenster sahen wir, wie ein weiterer Privatjet auf seinen Stellplatz eingewiesen wurde. Plötzlich hatte ich Kashoggis Aufmerksamkeit verloren, er starrte nur noch aus dem Fenster auf dieses Flugzeug, die neue Gulfstream V von Sir James Goldsmith. Sie war ganz weiß, mit einem breiten Strich in British Racing Green verziert, der sich von der Schnauze bis zum Heck zog. Auf der Heckflosse keine ordinären Initialen, sondern das Abbild eines Skorpions. Kashoggis Gelassenheit war dahin. Er begann, über die Vorteile einer Boeing zu sprechen, obwohl ganz offensichtlich war, dass er unbedingt auch so ein Flugzeug wie Goldsmith haben wollte.

Der Drang, «mithalten» zu müssen, gehört zu den zuverlässigsten Methoden, sich unglücklich zu machen. Egal, auf welcher Einkommensebene er sich abspielt. Für unser Glück zuträglicher ist, wenn wir uns damit abfinden, dass es Unterschiede gibt, die uns nur dann unglücklich machen, wenn wir nach Dingen streben, die wir uns nicht leisten können.

Es gibt für Reiche wahrscheinlich nur eine Möglichkeit, ein relativ unbeschwertes Leben zu führen. Der Apostel Paulus hat dieses Lebensrezept vor knapp 2000 Jahren mit folgendem Satz zusammengefasst: «Besitzt, als besäßet ihr nichts!» Wer unter seinen Verhältnissen lebt, genießt eine Reihe von Vorteilen: erstens Vorteile des guten Geschmacks. Rosamunde Pilcher ist ein gutes Beispiel dafür. Sie stammt aus einer gut situierten englischen Familie und bewohnte mit ihrem Mann ein geräumiges Landhaus in Schottland. Als ihre Bücher erfolgreich wurden, sah sie als Dame schon gesetzten Alters keinerlei Veranlassung, auf großem Fuß zu leben, und als die Buchhonorare die Millionengrenze überschritten hatten, tat sie das Gegenteil von dem, was die meisten von uns tun würden: Sie zog mit ihrem Mann aus ihrem Landhaus in ein kleines Cottage um.

Die paulinische Maxime hat, zweitens, einen praktischen Vorteil: Wer besitzt, als besäße er nichts, muss seinen Lebensstil nicht umkrempeln, sollte er sein Vermögen eines Tages verlieren. Je teurer die Gewohnheiten, je kapriziöser die Wünsche, desto schmerzhafter der Fall ins Nichts. Karl Marx etwa machte als Flüchtling in London verglichen mit seiner Frau Jenny von Westphalen keine besonders gute Figur. Er war mehrere Angestellte gewohnt und beklagte sich darüber, dass seine Frau selber kochen müsse. Diese wiederum war von viel bescheidenerer Natur als ihr Mann und entwickelte, statt sich wie er zu grämen, eine Leidenschaft fürs Kochen. Sie hatte, was ihrem Mann fehlte: eine nüchterne Einstellung dem Status quo gegenüber, eine unsentimentale und überaus schmückende Fähigkeit, sich mit den Gegebenheiten abzufinden.

Und was ist mit denen, die noch über die paulinische Maxime hinausgehen und den Besitz, der ihnen zur Last geworden ist, gleich ganz aufgeben? Ist es bewundernswerter, mit Verlust umgehen zu können, oder sind die wirklichen Koryphäen in der Kunst des stilvollen Verarmens jene, die auf ihren Reichtum verzichten? Meiner Ansicht nach scheint das freiwillige Abgeben von Macht, Geld, Status zwar auf den ersten Blick nobler, andererseits aber wirkt es stets ein wenig gekünstelt.

Wenn man in der Geschichte oder der Literatur nach Figuren Ausschau hält, die für ihre Verachtung alles Materiellen berühmt wurden, fällt auf, dass dies meist Kinder aus sehr begütertem Hause sind. Ob der römische Aristokratensprössling Alexius, der unerkannt als Bettler unter der Treppe seines Elternhauses von Essensresten lebte, oder der Tuchhändlerssohn Franz von Assisi, dessen Gefährtin, die heilige Clara, die sich von ihrer noblen Familie abwandte, oder der Brahmanensohn Siddhartha – erstaunlich oft stammen berühmte Asketen und Kostverächter aus überdurchschnittlich vornehmen und wohlhabenden Familien.

Ein besonders charismatisches Beispiel ist der Philosoph Ludwig Wittgenstein. In seinem Stück «Wittgensteins Neffe» lässt Thomas Bernhard diesen über seinen berühmten Onkel schimpfen: «Der Multimillionär als Dorfschullehrer ist doch wohl eine Perversität, glaubst du nicht?»

Ludwig Wittgenstein stammte aus einer der drei reichsten Familien Österreichs. Sein Ruhm und Charisma wurde von seinem Ruf genährt, ein Dandy des Verzichts zu sein. Er zelebrierte seine Sparsamkeit, kokettierte mit der Askese. Nachdem er als Soldat den Ersten Weltkrieg erlebt hatte, verzichtete er auf jegliches Familienvermögen zugunsten seiner Geschwister. Wittgenstein wurde, statt auf der Universität Philosophie zu lehren, Dorfschullehrer in einem Nest irgendwo in den Bergen und später erst der wichtigste Denker seiner Zeit, der von den Studenten wie ein Halbgott verehrt wurde. In einer Zeit, in der die anderen Professoren in Cambridge noch im Talar durch die Straßen stolzierten, trug Wittgenstein betont lässige Kleidung und eine zerschlissene Tweed-Jacke. Bis hin zu den kleinsten Lebensgewohnheiten kopierte eine ganze Generation von Cambridger Philosophiestudenten den großen Meister. Man bevorzugte schmale Betten, trug Gemüse in kleinen Netzen mit sich herum, «damit sie atmen können», aß spärlich, am liebsten gedünsteten Sellerie, und trank warmes Wasser. Wenn Wittgenstein sich von seiner Rolle als Verzichtsdandy erholen wollte, zog er sich auf das Anwesen seiner Familie in Österreich zurück.

Wie sehr man sich bemüht, die Gewohnheiten eines Patriziers lassen sich nur schwer abschütteln. Wittgensteins Bescheidenheit war, wenn man mit Menschen spricht, die ihn noch erlebt haben, eine recht äußerliche Angelegenheit. Neben einem messerscharfen Verstand muss ihn eine ziemliche Überheblichkeit ausgezeichnet haben. Sein Gehabe blieb, bei aller zelebrierten Genügsamkeit, das eines Mitglieds der Wiener Oberklasse.

Exemplarisch ist auch der Fall Burroughs. William S. Burroughs, den ich durch meinen Freund Carl Laszlo, den Kunstsammler, kennen lernte, war gemeinsam mit Allen Ginsberg und Jack Kerouac der geistige Wegbereiter der Hippiebewegung. Er zelebrierte seine Zivilisationskritik durch ein bewusst antibürgerliches Leben, dennoch war Burroughs stets der Sohn reicher Südstaateneltern, der wie ein Buchhalter graue Anzüge bevorzugte. Sein Großvater war der Erfinder der Addiermaschine und Gründer der mächtigen Burroughs Corporation. Enkel Bill hauste in New York mit Straßenkriminellen und Strichern, raubte Betrunkene in der U-Bahn aus, um seine Heroinsucht zu finanzieren, residierte später in Tanger zeitweise in einem Männerpuff, und in seinen Romanen schilderte er das Leben am untersten Rand der Gesellschaft.

Wenn Ginsberg und Kerouac, die beide nicht aus wohlhabenden Familien stammten, Burroughs ärgern wollten, erwähnten sie den Investmentfonds, den seine Eltern sicher für ihn angelegt hätten. Es gab angeblich keinen Investmentfonds; Burroughs war auf seinen Reisen durch

Südamerika zum Teil so mittellos, dass er gezwungen war, seine Reiseschreibmaschine zu verkaufen. Aber über Jahrzehnte hinweg erhielt er einen monatlichen Scheck von seinem Vater. Seine ersten Texte, darunter der Roman «Junkie», veröffentlichte er unter Pseudonym, weil er fürchtete, seine Eltern könnten ihm den Scheck streichen. Bei aller Verherrlichung der Existenz von Kleinkriminellen, von Promiskuität und Drogensucht war Burroughs doch zu keiner Zeit zu einem Leben im Dreck gezwungen und empfand es stets als sinnlich-intellektuellen Genuss. Seiner Qualität als Schriftsteller konnte diese Mischung aus Großbürgertum und Gosse nichts anhaben. Im Gegenteil, sie macht gerade den Reiz seiner Bücher aus.

Auch Ernesto «Ché» Guevara fällt in die Kategorie der Bedürfnislosigkeitsdandys. Er wurde zur Kultfigur einer Generation, zum Märtyrer und Rächer der Entrechteten, doch seine vornehme Herkunft konnte er nie ganz abschütteln, versuchte sie aber durch besondere Verachtung für Geld und Status wettzumachen. Nach Batistas Sturz 1959 wurde Guevara unter Fidel Castro Präsident der kubanischen Nationalbank und Industrieminister und führte den Spitznamen «Ché», ein Slangausdruck, ähnlich dem deutschen «Kumpel». Ché Guevara legte größten Wert darauf, Besucher im bis zum Bauchnabel geöffneten Hemd, mit löchrigen Socken und den Füßen auf dem Tisch zu empfangen. Er war fasziniert von der Idee, in Kuba das Geld abzuschaffen, und träumte von einer am Gemeinwohl orientierten Moral als Motor von Wirtschaft und Gesellschaft. Daneben betätigte er sich als Scharfrichter; er unterzeichnete mehr als 200 Todesurteile, von denen er einige selbst vollstreckte.

Als seine Mission in Kuba erfüllt war, zog Guevara weiter in den Kongo, um dort die Weltrevolution voranzutreiben. Das scheiterte, weil die Kongolesen sich von dem revolutionären Edelmann bedroht fühlten. Schließlich begab er sich nach Bolivien, wo er mit einer kleinen Truppe von Getreuen versuchte, einen Umsturz anzuzetteln. Doch die Bauern Boliviens sahen in ihm ebenfalls keinen Befreier. Selbst die Ärmsten unter ihnen besaßen meist ein Stückchen Land und waren für Guevaras Lehren vom Aufstand der Besitzlosen unempfänglich. Dafür wiederum hatte der Revolutionär nicht das geringste Verständnis – die Bedürfnisse armer bolivianischer Bauern erschienen ihm verglichen mit den Zielen der Weltrevolution belanglos, da blieb er dem Hochmut seiner Klasse treu. Als ihn von der CIA ausgebildete Truppen im Oktober 1967 im Dschungel festnahmen, trug er zwei Rolex-Uhren und 15 000 Dollar bei sich.

Nach seiner heimlichen und hinterhältigen Hinrichtung wurde Ché Guevara zunächst zur alternativen Christusfigur und sein Porträt schließlich, als rächte sich die Popindustrie an der puritanischen Revolution, zum Modeaccessoire. Inzwischen gibt es Ché-Bier und Ché-Zigarren – die vielleicht größtmögliche Strafe für den Patrizier-Revolutionär. Dass Guevara mit Leidenschaft Henker war und auf Chruschtschow wütend war, weil der während der Kubakrise nachgegeben hatte, statt, wie von ihm gefordert, eine Atomrakete auf die USA abzuschießen – dem Mythos Ché Guevara konnte das nichts anhaben. Ché hatte sich ein Image als selbstloser Asket und Rächer der Armen geschaffen. In Wirklichkeit liefen die Armen, ob in Kuba, im Kongo oder in Bolivien, so schnell sie konnten, wenn sie den Namen des argentinischen Bürgersohns und Medizinstudenten, des Kumpels Guevara, hörten.

Von den für ihre Bescheidenheit mythologisierten Figuren der Weltgeschichte, die freiwillig Hab und Gut ausschlugen, ist der mit Abstand Berühmteste Franz von Assisi, der als einer der größten Heiligen und Ordensgründer der Kirche verehrt wird. Für Franziskus, den Sohn eines reichen Tuchfabrikanten, hatte Geld – nach seiner Bekehrung – schlicht den Wert von: Scheiße. Dies schärfte er seinen Mitbrüdern immer wieder ein. Als einmal ein Mann in ihre Kirche kam, ein wenig Geld unter das Kreuz legte und einer seiner Mitbrüder es aufhob, um es achtlos in eine Fensternische zu werfen, rügte und bestrafte Franziskus den braven Mönch vor allen anderen, weil er es gewagt hatte, Geld anzufassen. Der Mönch musste es dann mit einem Sack aufsammeln und zum Schweinemist bringen, «wo es hingehört».

In der Jugendzeit des Franziskus fand eine der ersten erfolgreichen Aufwallungen des Bürgertums gegen den Adel statt. Die Bürger von Assisi hatten 1198 die Burg, deren Trümmer noch heute zu finden sind, erobert und in gewaltiger Geschwindigkeit eine Mauer um die Stadt gezogen. Franziskus, nach seiner Herkunft eigentlich auf der Seite der kaisertreuen Adeligen, fühlte sich zum Verdruss seiner Eltern den Aufständischen verbunden. Den ins benachbarte Perugia geflüchteten Adeligen gelang es schließlich 1203, Assisi in der blutigen Schlacht von Collestrada zurückzuerobern. Franziskus war auf der Seite der Aufständischen in den Kampf gezogen und wurde, wie Hunderte andere junge Männer aus Assisi, gefangen genommen und in den Kerker gesperrt. Danach wandte er sich endgültig von seiner Klasse ab und gründete eine asketische Gemeinschaft von Bettelmönchen.

Sein Biograph Gilbert K. Chesterton meinte, man müsse sich Franziskus als das vorstellen, was man einen liebenswerten Verrückten («loveable lunatic») nennt, als jemanden, der die ritterliche Höflichkeit seiner Zeit, die *cortese*, auf die Spitze trieb – bis hin zur Narretei, wenn er zu den Vögeln predigte und einen Stuhl um Verzeihung bat, bevor er sich auf ihm niederließ. Franziskus sah in allem und jedem das vervielfältigte Abbild Gottes und fand es nur konsequent, die Schöpfung mit Ehrfurcht zu betrachten.

Lebte ein Franziskus heute, hätten seine Eltern wahrscheinlich längst seine Betreuung in die kompetenten Hände einer psychiatrischen Einrichtung gelegt, mit der Radikalität eines Franziskus würde man, gelinde gesagt, Anstoß erregen. Gerade die Radikalität des Franziskus macht freilich seine Faszination aus. Und die geistige Grundlage seines Denkens, die Achtung vor der Schöpfung als etwas Heiligem, hat in einer Welt, in der sich die Menschen ihren verlorenen Bezug zum Kosmos durch diffuse Esoterik zurückzuerobern versuchen und immer noch glauben, die Versorgung mit billigem Fleisch aus industrieller Tierhaltung sei ein fundamentales Menschenrecht, durchaus Relevanz. Doch auch wenn es sich nicht schickt, achthundert Jahre nach seinem Wirken Haltungsnoten zu verteilen, wirkt die Rigorosität des heiligen Franziskus – im Vergleich zum Beispiel mit einem heiligen Benedikt, der überzeugt war, Überfluss sei ebenso wie Askese hinderlich für ein spirituelles Leben – geradezu unkatholisch. Das gesunde Maß, die *temperantia*, scheint jedenfalls nicht eine seiner Haupttugenden gewesen zu sein.

Vielleicht kann man nur als unvermögender Mensch das Leben eines Millionärs führen. Nur wer kein Geld hat, kann so etwas wie Luxus überhaupt empfinden – für einen Reichen ist dies alles nur eine Last. Wenn jemand, der sich kein Essen im besten Restaurant der Stadt leisten kann, dorthin eingeladen ist, kann er dies in vollen Zügen genießen. Ein reicher Mensch ist dazu überhaupt nicht imstande, er wird höchstens genervt feststellen, dass die Stubenküken bei Haeberlin oder im Tour d'Argent besser sind.

Wirklich arm sind eigentlich die Reichen. Geld ist nämlich eine Droge, die einen vom Leben fern hält und es einem zum Beispiel ermöglicht, sich hinter einer Fassade zu verstecken, ob das nun Reisen oder maßgeschneiderte Anzüge sind. Wer zu viel Geld hat, kann vor seinem Leben flüchten, indem er mal eben nach St. Tropez oder New York jettet und im teuersten Hotel der Stadt übernachtet, aber dort ist man dann genauso unglücklich wie überall sonst. Wahres Glück gibt es nicht ohne eine gesunde Portion Demut, und die zu üben fällt reichen Menschen oft sehr schwer. Die Fähigkeit, eigene Fehler einzugestehen, die Fähigkeit, andere zu schätzen, und zwar unabhängig von deren sozialem Status, fehlt den meisten von ihnen – ein echtes Handicap.

Noch ärmer als die Reichen sind vermutlich nur die Armen, die reich sein wollen. Der einzige Lottospieler, der daher meine uneingeschränkte Bewunderung genießt, ist ein Mann aus Nordrhein-Westfalen. Sein ganzes Leben spielte er Lotto, ohne natürlich je damit zu rechnen, eine größere Summe zu gewinnen. Eines Tages gewann er doch. 9,1 Millionen Euro. Völlig schockiert behielt er 10 000 Euro und spendete den Rest, weil er nicht wollte, dass sein Leben aus den Fugen gerät. Chapeau!

«Wenn man im Reichtum leben will, ist
Geld der Ruin.»

MALCOLM FORBES

Was nicht knapp wird

Über die Dinge, die einen reich machen

Der bevorzugte Sitzplatz von Prinz Charles befindet sich
mitten in den Nesseln. Eine der Kontroversen, die auf sein
Konto gehen, war recht aufschlussreich: Eine junge Frau,
die in seinem St. James's Palace eine Stelle als Sekretärin
angenommen hatte, wollte vom Haushofmeister wissen,
ob es für Sekretärinnen Aufstiegsmöglichkeiten innerhalb
des Palastes gebe. Die Anfrage landete schließlich auf dem
Schreibtisch des Thronfolgers, worauf der handschriftlich
eine empörte Aktennotiz verfasste, die an die Öffentlichkeit gelangte und eine wochenlange Debatte über ein
pikantes Thema auslöste – die Frage, ob man besser daran
tut, sich mit seinem Status innerhalb der Gesellschaft abzufinden, oder ob man nach Höherem streben sollte.
Charles' Notiz lautete: «Was ist bloß los mit den Menschen? Warum nur glauben alle, zu Dingen berufen zu sein,
die ihr Können übersteigen? Jeder scheint heutzutage
davon überzeugt zu sein, Popsänger, Fernsehstar oder sonst
was werden zu können. Schuld ist wahrscheinlich unser
Kinder verhätschelndes Erziehungssystem.»

Verständlicherweise sorgte das Bekanntwerden dieses
internen Memos für einen Aufschrei der Empörung in
Großbritannien. Der Erziehungsminister meldete sich zu

Wort und meinte, der Prince of Wales sei wohl ein wenig zu altmodisch, um die moderne Welt zu verstehen. «Nicht alle können dazu geboren sein, König zu werden», sagte er in einem Radiointerview, «aber jeder hat das Recht, nach dem Bestmöglichen für sich und seine Familie zu streben.» Der St. James's Palace versuchte, die Wogen zu glätten. Der königliche Pressesprecher versicherte, dass es Prinz Charles fern liege, den Menschen das Recht zum Träumen abzusprechen, es sei ihm lediglich darum gegangen, die Individualität jedes Einzelnen zu betonen, Schulen sollten jedem die Chance geben, nach seinen individuellen Talenten gefördert zu werden, und so weiter. Doch das Kind war bereits in den Brunnen gefallen. Als Tony Blair bei einer Pressekonferenz auf den Vorfall angesprochen wurde, sagte er nur: «Ich halte mich da raus.»

Viele Freunde hat sich der Thronfolger durch jene Aktennotiz nicht gemacht, aber immerhin hatte er, was viel zu wenig gewürdigt wurde, ein Thema angesprochen, das an den Kern unseres Gesellschaftssystems rührt: Wir leben in einer Zeit unendlicher Erwartungen. Der Sozialismus sollte durch die Illusion erträglich gemacht werden, dass alle Menschen gleich sind und es keine vererbbaren Privilegien mehr gibt, der Kapitalismus lullt uns mit dem Märchen vom Tellerwäscher ein, der es zum Millionär gebracht hat. Man kann kaum noch das Fernsehgerät einschalten, ohne zum Traum genötigt zu werden, Millionär oder «Superstar» zu werden. Glück, wird einem überall versprochen, ist machbar und Erfolg ebenso. Es gibt kein «oben» und «unten» mehr, wenigstens kann jeder, so die Legende, der «unten» ist, wenn er über genügend Geld verfügt, nach «oben» kommen. Ein solcher Glaube hat ohne Zweifel seine Vorteile, aber auch einen gravierenden Nachteil: Wer es nicht zu Wohlstand bringt, steht nämlich als Verlierer und Versager da.

Einer der Ersten, die dieses Dilemma erkannten, war der französische Gelehrte Alexis de Tocqueville, der in den dreißiger Jahren des 19. Jahrhunderts die Vereinigten Staaten, das «Land der unbegrenzten Möglichkeiten», bereiste und darüber das Buch «Über die Demokratie in Amerika» (1835/40) schrieb, in dem er die Schwächen des neuen, demokratischen und egalitären Gesellschaftssystems analysierte und sich unter anderem eines Problems annahm, das heute aktueller ist denn je: «Sind alle Vorrechte der Geburt und des Besitzes aufgehoben, sämtliche Berufe jedermann zugänglich, … so ist es, als öffne sich dem Ehrgeiz der Menschen eine unabsehbare und bequeme Laufbahn, und sie bilden sich gerne ein, dass sie zu Großem berufen seien. Aber das ist eine irrige Ansicht, die durch die Erfahrungen täglich berichtigt wird … Ist die Ungleichheit das allgemeine Gesetz einer Gesellschaft, so fallen die stärksten Ungleichheiten nicht auf; ist alles ziemlich eingeebnet, so wirken die geringsten Unterschiede kränkend … Das ist der Grund für die merkwürdige Melancholie, welche die Bewohner der Demokratien inmitten des Überflusses plagt … Ich habe in Amerika keinen noch so armen Bürger angetroffen, der nicht Blicke der Hoffnung und des Neides auf die Genüsse der Reichen würfe.»

Tocqueville war kein Reaktionär, sondern ein großer Liberaler, nichts lag ihm also ferner, als sich ein Zurück in das feudalistische Zeitalter der zementierten Ungleichheit zu wünschen. Dennoch erkannte er das Problem, das den Menschen im Zeitalter des Egalitarismus plagt: In einem fort wird uns suggeriert, dass wir auf der Leiter des Erfolges ganz nach oben gelangen könnten: «Obwohl dieser Glaube

211

an unbegrenzte Möglichkeiten anfänglich und besonders bei den Jüngeren eine vordergründige Zufriedenheit auslösen kann und obwohl dies den talentiertesten und den Glückspinseln unter ihnen ermöglicht, ihre Ziele zu erreichen, verzweifeln die meisten anderen im Lauf der Zeit, die Bitterkeit erstickt ihre Seelen.»

Unzufriedenheit mit dem eigenen Status ist, seitdem sämtliche sozialen Schranken durchlässig geworden sind, weit verbreitet. Je mehr uns Reichtum als realistisches Ziel vor die Nase gehalten wird, desto mehr steigt unsere Frustration, wenn wir es verfehlen. Dabei ist Reichtum relativ leicht zu erlangen, falls man ihn etwas individueller definiert. Wenn ich unter «reich» verstehe, einen Ferrari und ein Haus an der Costa Smeralda zu besitzen, stehen die Chancen gut, dass ich mein Leben lang ein armer Schlucker bleibe. Nenne ich aber Reichtum, unter Verzicht auf einen hohen Kontostand möglichst viel Freizeit zu haben und diese nicht nur dazu zu nutzen, mich um mich selbst zu kümmern, sondern mich zum Beispiel ehrenamtlich irgendwo zu engagieren, kann ich steinreich werden. Anders gesagt: Wenn ich mein Selbstwertgefühl an Dinge knüpfe, auf die ich Einfluss habe, werde ich reich, mache ich mein Glück von Dingen abhängig, die schwerlich zu erreichen sind, bleibe ich höchstwahrscheinlich arm. Die Hälfte meines Lebens verbrachte ich im Schatten sehr viel reicherer Menschen und war genau so lange unglücklich, wie ich glaubte, das Geld der «anderen» haben zu müssen, um glücklich zu sein. Der Moment, in dem ich einsah, dass mein Leben, so wie es ist, schön ist und das Leben der anderen nicht das meine, wirkte wie eine Befreiung. Reichtum ist eine Frage der Ansprüche, und wenn man sich erst einmal bewusst wird, dass die meisten unserer angeblichen Bedürfnisse künstlich geschaffen sind und in vielen Fällen sogar unseren eigentlichen Bedürfnissen im Wege stehen, wird Reichtum plötzlich machbar – nur eben ein wenig anders, als uns die werbetreibende Wirtschaft glauben machen will.

Als die ersten Europäer amerikanischen Boden betraten und den Versuch unternahmen, mit den dortigen Ureinwohnern Handel zu treiben, gestaltete sich das zunächst recht schwierig. Denn die Europäer hatten nichts zu bieten, was für die Indianer von Interesse war, allerdings hatten sie ein unstillbares Verlangen nach Bärenfellen. Um an die von den Indianern gejagten Trophäen zu kommen, mussten sie erst Begierden wecken, die sich mit Dingen wie Glasperlen und Alkohol befriedigen ließen. Ende des 17. Jahrhunderts berichtete der englische Kolonialist John Banister, dass die Indianer mit «großem Erfolg» dazu angestiftet worden seien, «Dinge zu begehren, die sie zuvor nicht vermissten, da sie diese nie besaßen, die ihnen aber nun infolge des Handels unentbehrlich geworden sind.»

Die Gier nach Dingen, nach denen man keinerlei Verlangen hatte, bevor einem dieses eingeredet wurde, ist nur kurierbar, wenn man sich bewusst macht, auf welch unverschämte Weise die Bedürfniskreation funktioniert. Den Indianern hatte man so lange eingeredet, dass Glasperlen wertvoll seien, bis sie tatsächlich daran glaubten. Auch Alkohol und Feuerwaffen hatte man ihnen Schritt für Schritt schmackhaft gemacht. Die Folgen sind bekannt.

Heutzutage werden Bedürfnisse hauptsächlich über die Medien geschaffen. 1896 gründete Alfred Harmsworth das britische Massenblatt «Daily Mail» und erklärte erstaunlich unverfroren, der ideale Leser seiner Zeitung sei der einfache Mann «mit hundert Pfund Jahreseinkommen, der sich gern dazu verleiten lässt, von tausend Pfund zu träumen». Alain de Botton, der in seinem Buch «Statusangst» die Fabrikation von Bedürfnissen analysiert hat, weist darauf hin, dass etwa um die gleiche Zeit Journale wie «Cosmopolitan» und «Vogue» entstanden sind, deren Sinn und Zweck vor allem darin bestand, den Angehörigen der Mittelklasse das Leben der Oberklasse anzupreisen. Die erste Ausgabe der amerikanischen «Vogue» erschien 1892, dort konnte man dann erfahren, wer auf Jacob Astors Yacht «Nourmahal» gefeiert hatte, welche Mode man in den exklusiven Mädcheninternaten trug, wer die besten Partys von Newport und Southampton gab und was man zum Kaviar zu servieren habe (Kartoffeln und Sauerrahm): «Solche Einblicke ins Leben der Oberschicht», so de Botton, «versetzten das Publikum in die Illusion, ebenfalls dazuzugehören – ein Effekt, der durch die Entwicklung von Radio, Film und Fernsehen kräftig intensiviert wurde.»

Flankiert wurde die Bedürfniskreation der Medien durch das Entstehen der «Auch-du-kannst-es-schaffen»-Erbauungsliteratur. Der Schöpfer des Genres ist niemand Geringerer als Benjamin Franklin. In seiner Autobiographie schilderte er, wie er es als Kind eines mittellosen Kerzenmachers zum Präsidenten der Vereinigten Staaten brachte. Die (be-)trügerische Kernthese seines Buches lautet, dass jedem eine solche Karriere offen stehe – die einzige Voraussetzung sei Disziplin und Fleiß. Der Erfolg dieser Art von Büchern ist bis in unsere Tage ungebrochen. Ratgeber wie «Wecke den Riesen in dir», «Denke nach und werde reich», «Endlich erfolgreich», «Die Magie des Erfolgs», «Alles ist erreichbar» sind absolut sichere Erfolgsgaranten – für die Autoren, die damit viel Geld verdienen.

Zum Glück gibt es inzwischen einen Trend, der dem zuwiderläuft. Einer der erfolgreichsten Ratgeber der letzten Jahre wurde von einem gewissen John F. Demartini verfasst, und er vertritt genau das Gegenteil dessen, was die Erfolgsverheißer predigen. Der Titel seines Bestsellers lautet: «Count Your Blessings». Auf Deutsch erschien sein Buch unter dem etwas altbacken klingenden Titel «Genieße, was dir ist beschieden». Ein besserer Titel wäre «Das Robinson-Crusoe-Prinzip» gewesen, denn Demartini empfiehlt, nicht irgendwelchen fernen Träumen nachzujagen, sondern das schätzen zu lernen, über was man bereits verfügt. Und niemand hat dieses Glücksgeheimnis besser umgesetzt als Daniel Defoes Romanheld.

Als Robinson Crusoe auf seine Insel verschlagen wurde, rettete ihm ein Trick das Leben: Er nahm Stift und Papier, die er aus dem gesunkenen Schiff geborgen hatte, und machte zwei Listen. Auf die eine schrieb er, was an seiner Situation schlecht war, auf die andere das, worüber er glücklich sein konnte. Schlecht: Ich bin auf einer einsamen Insel, ohne Hoffnung, je gerettet zu werden. Gut: Ich bin noch am Leben und nicht ertrunken wie all meine Kameraden. Schlecht: Ich habe keine Kleider, mich zu bedecken. Gut: Ich lebe in einem heißen Landstrich, wo ich kaum Kleider tragen könnte, selbst wenn ich welche hätte. Und so weiter. Dann beschloss er, die negativen, unabänderlichen Dinge aus seinem Gedächtnis zu streichen, sich auf die positiven zu konzentrieren, und zog das verblüffende Fazit: «Von nun an begann ich zu folgern, dass es mir möglich ist, mich in meiner verlassenen Lage glücklicher zu fühlen, als es vermutlich in irgendeinem anderen Zustand der Erde je der Fall gewesen wäre.»

Natürlich kann man das, was Crusoe da trieb, Selbsttäuschung nennen, denn die Dinge unter der Rubrik

«Schlecht» waren ja nicht aus der Welt. Aber durch diese Selbsttäuschung verhinderte er jene Mutlosigkeit, die es ihm unmöglich gemacht hätte, sich mit der Insel zu arrangieren und schließlich gerettet zu werden.

Was das «Robinson-Crusoe-Prinzip» so reizvoll macht, ist nicht etwa banales «Positive Thinking», es ist vielmehr die Fähigkeit, das Leben mit seinen Unebenheiten anzunehmen und, statt sich in die Opferrolle zu begeben, der Agierende zu bleiben. Das Irreführende und Unglücklichmachende an der ganzen «Jeder-kann-erfolgreich-sein»-Literatur ist, dass sie dem Leser ein Klischee von Glück vor Augen hält und Erwartungen schafft, an denen man zwangsläufig scheitern muss. Das Leben ist nun einmal nicht frei von Problemen. Es kann also, wenn man glücklich werden will, nur darum gehen, die Wirklichkeit wahrzunehmen, wie sie ist, und nicht Wunschvorstellungen nachzulaufen. Wer sich auf die Unebenheiten, die Imperfektionen des Daseins einlässt, hat jedenfalls sehr viel mehr Aussicht auf eine glückliche Lebensführung als jener, der ewiger Gesundheit, einer konfliktfreien Zweierbeziehung und der Erfüllung all seiner materiellen Wünsche nachjagt. Glück ist ohnehin erstaunlich unabhängig von äußeren Umständen. Es gibt reiche, kerngesunde, von ihrer Familie umgebene Menschen, die todunglücklich sind – und andererseits bettelarme, kranke, selbst einsame Menschen, die glücklich sind. Eines steht fest: Wer der Utopie eines beständigen Glücks nachläuft, wird mit Sicherheit unglücklich. Und wer zeit seines Lebens dem materiellen Reichtum hinterherjagt, bleibt garantiert arm.

Die Heilpraktikerin meiner Frau würde jetzt vermutlich sagen: «Ja, genau! Man muss loslassen können.» Und so esoterisch das auch klingen mag – genau darin liegt wahrscheinlich das Geheimnis. Oft sogar das Geheimnis zum materiellen Erfolg. Adnan Kashoggi erzählte immer, dass er nur reich geworden sei, weil er vom Geld loslassen konnte, nicht weil er es anzuhäufen versuchte. Als junger Student in Amerika habe er keinen Cent besessen, denn sein Vater, immerhin Leibarzt des saudischen Königs, wollte ihn nicht unterstützen. Von dem wenigen Geld, das er hatte, kaufte er sich schließlich den teuersten Anzug, den er finden konnte, setzte sich in New York, wo er studierte, in die Lobby des besten Hotels der Stadt, des «Waldorf Astoria», und wartete. Die letzten 50 Dollar, die er in seiner Tasche fand, gab er einem Kellner als Trinkgeld. Damit erregte er die Aufmerksamkeit eines Geschäftsmannes, der sich dem jungen, gut gekleideten Araber vorstellte und ihm einen Job anbot, weil er jemanden mit weltmännischem Auftreten brauchen konnte. Das war der Beginn der illustren Karriere des Adnan Kashoggi.

Psychologen nennen eine derartige Handlungsweise «paradoxe Intervention». Die Lösung von Problemen liegt oft in völlig überraschendem Verhalten. Wenn es scheinbar nur zwei Möglichkeiten gibt, eine Situation zu meistern, bedeutet «paradoxe Intervention», einen dritten, unorthodoxen, vielleicht sogar törichten Weg zu gehen. Der berühmte Psychologe Paul Watzlawick illustriert durch eine wahre Begebenheit, wie heilsam eine solche Art des «Loslassens» sein kann. Der Gräfin von Tirol, die im 14. Jahrhundert ins Feld zog, um Kärnten zu erobern, lag die Festung Hochosterwitz im Weg. So begannen die Truppen der Gräfin das übliche Ritual der Belagerung. Das zog sich hin, der Winter nahte, die Gräfin, vor allem aber ihre Truppen verloren langsam die Geduld. In der Festung war die Stimmung ebenfalls auf dem Tiefpunkt. Schließlich wurde dem Festungskommandanten gemeldet, in der gesamten Burg gebe es als Proviant nur noch einen Ochsen und zwei Sack Getreide. Das wäre für jeden Heerführer das Signal zur Kapitulation gewesen. Doch der Festungskommandant ordnete das Unfassbare an: Der Ochse sollte geschlachtet werden, man solle die Getreidesäcke hineinstopfen und das Ganze dann über die Mauer werfen. Da die Lage ohnehin aussichtslos schien, kam man dem Befehl des Kommandanten nach. Der Ochse flog über die Mauer. Als das die belagernden Truppen sahen, verzweifelten sie. Wer so etwas tat, der musste Vorräte für viele Monate besitzen, und so lange konnten und wollten die Tiroler nicht warten. So brach die Gräfin die Belagerung ab und zog sich zurück. Die Festung war gerettet.

Sowohl Robinson Crusoe als auch Kashoggi und den Kommandanten von Hochosterwitz zeichnet aus, dass sie in ausweglosen Situationen die Handelnden blieben, statt zu jammern. Auf unsere ökonomische Situation angewandt, kann der Trick Robinson Crusoes beispielsweise dazu führen, dass wir erkennen, wie leicht es fällt, auf viele unserer scheinbaren Bedürfnisse zu verzichten, wenn wir dazu gezwungen sind. Anderes wiederum, wonach wir nach wie vor ein Bedürfnis haben, obwohl wir es uns eigentlich nicht leisten können, wird in Zeiten erzwungener Sparsamkeit überhaupt erst als Luxus fühlbar. Bald wird bei uns nicht mehr jeder einzelne Haushalt über mehr elektrische Geräte verfügen als ein mittelgroßes bulgarisches Dorf. Manches, was wir bisher als selbstverständlich hingenommen haben, wird uns künftig wieder als Luxus bewusst sein. Ganz banale Dinge. Das Vollbad. Die Spülmaschine. Die Reise. Vieles werden wir erst wieder genießen können, wenn es knapp geworden ist.

Dass dieses Buch sich nicht an jene richtet, die durch die neue wirtschaftliche Lage in Existenzängste gestürzt werden, sondern jene erreichen soll, die «kürzer treten» müssen, dürfte dem aufmerksamen Leser längst klar geworden sein. Den allermeisten von uns ist auch mit deutlich weniger Geld, als uns bisher zur Verfügung stand, ein würdiges, ja ein luxuriöses Leben möglich. Die Einschnitte, zu denen wir gezwungen sind, können, wie ich hoffe gezeigt zu haben, unsere Lebensqualität sogar wesentlich steigern. Was genau allerdings «Luxus» und was genau «Armut» ist, sind Fragen, die – selbst wenn wir sie klären könnten – unser Leben weder verbessern noch verschlechtern würden. In «Liebe, Luxus und Kapitalismus» schrieb Werner Sombart: «Luxus ist jeder Aufwand, der über das Notwendige hinausgeht. Der Begriff ist offenbar ein Relationsbegriff, der erst einen greifbaren Inhalt bekommt, wenn man weiß, was ‹das Notwendige› ist.» Doch wer will das schon bestimmen?

Die einzig brauchbare Definition dessen, worin dieses «Notwendige» besteht, geht auf den großen Ökonomen Adam Smith zurück. In seinem Werk «Der Wohlstand der Nationen» (1776) heißt es: «Unter lebenswichtigen Gütern verstehe ich nicht nur solche, die unerlässlich zum Erhalt des Lebens sind, sondern auch Dinge, ohne die achtbaren Leuten, selbst der untersten Schicht, ein Auskommen nach den Gewohnheiten des Landes nicht zugemutet werden sollte. Ein Leinenhemd ist beispielsweise, genau genommen, nicht unbedingt zum Leben nötig, Griechen und Römer lebten, wie ich glaube, sehr bequem und behaglich, obwohl sie Leinen noch nicht kannten. Doch heutzutage würde sich weithin in Europa jeder achtbare Tagelöhner schämen, wenn er in der Öffentlichkeit ohne Leinenhemd erscheinen müsste.»

Dem Leinenhemd von 1776 mag 1966 ein Radiogerät und 1986 ein Fernseher entsprochen haben, und 2006?

Adam Smiths «Leinenhemd» ist jenes Gut, das man nicht unbedingt zum Überleben braucht, das aber notwendig ist, um sich nicht von seinem sozialen Umfeld ausgeschlossen zu fühlen. Der indische Wirtschaftsphilosoph und Nobelpreisträger Amartya K. Sen folgert aus Smiths Leinenhemd-Beispiel, dass Armut und Reichtum nicht so sehr von Geld und Einkommen abhängen, sondern eine Frage der «capabilities», also der Entfaltungsmöglichkeiten jedes Einzelnen, seien. Sie erschöpfen sich nicht in der Sicherheit, genug zu essen und ein Bett zum Schlafen zu haben oder vor Wind und Wetter geschützt zu sein, dazu gehört nach Sen vor allem, als akzeptiertes Mitglied einer Gemeinschaft auftreten zu können. Wer von seinen sozialen Entfaltungsmöglichkeiten ausgeschlossen ist, ist arm.

Das deutsche Bundessozialhilfegesetz, das 1961 vom Bundestag verabschiedet wurde, kann daher als ziemlich fortschrittlich gelten, weil es bereits zwanzig Jahre bevor Sen seine Definition von Armut einführte, die «ganzheitliche», vom rein Materiellen abgelöste Herangehensweise vorwegnahm. Nach deutschem Recht ist der Bezieher von staatlicher Hilfe nämlich ausdrücklich kein Almosenempfänger, sondern hat das Recht auf seine sozialen Entfaltungsmöglichkeiten. Wenn er sich diese nicht verschaffen kann, ist es die Pflicht des Staates, einzuspringen. Paragraph 1 des Bundessozialhilfegesetzes lautet: «Aufgabe der Sozialhilfe ist es, dem Empfänger die Führung eines Lebens zu ermöglichen, das der Würde des Menschen entspricht.» Das bedeutet eben auch, dass der Staat die Güter, die zwar nicht zum Überleben nötig sind, ohne die man aber vom sozialen Leben ausgeschlossen wäre, jenen Bürgern zur Verfügung stellen muss, die sie sich sonst nicht leisten könnten.

Entscheidend – und von der Frage nach dem «Notwendigen» unabhängig – ist die Tatsache, dass es Güter gibt, deren Besitz einen gewissen Status signalisiert. Es wäre illusorisch zu glauben, dass man sich vom Statusdenken gänzlich frei machen könnte. Jeder Mensch braucht Anerkennung. Erfreulich ist aber, dass sich die Dinge, die einem Status und Anerkennung verschaffen, mit der Zeit ändern. Im antiken Sparta hing das öffentliche Ansehen davon ab, ob man ein guter, durchtrainierter Krieger war. Alles andere war nebensächlich. Ende des 19. Jahrhunderts, als sich das Bürgertum gegenüber der ehemaligen Feudalklasse emanzipierte, zeigte man seinen Status, indem man den Lebensstil der abgesetzten Oberschicht imitierte, sich große Häuser bauen ließ und weite Reisen unternahm. Der verarmte Adel verkaufte seine Stadtpalais, in die Gebäude zogen Luxushotels ein.

Jetzt, einhundert Jahre später, ist wieder ein Wandel im Gange. Sehr schön abzulesen ist das am Publikum der First-, Business- und Economy-Class-Reisenden im Flugzeug: Vorne, in der ersten Klasse, sitzen die Damen mit der zu dick aufgetragenen Schminke, den aufgespritzten Lippen, die von Kopf bis Fuß in Versace gekleidet sind; dahinter die Herrschaften mit den Boss-Sakkos und den Vielflieger-Konten, die die Stewardessen wie Leibeigene behandeln, wozu sie sich berechtigt fühlen, da sie schließlich Business-Class fliegen. Menschen, die sich halbwegs gesittet benehmen können, findet man nur noch in der Economy-Class. Zwar kann man dort die wenigsten im altmodischen Sinn als «elegant» bezeichnen, doch zumindest sind sie nicht so vulgär wie die Passagiere im vorderen Teil des Flugzeugs.

Die große Modeschöpferin Elsa Schiaparelli sagte: «Luxus liegt nicht im Reichtum oder in Geziertheit, sondern im

Fehlen des Vulgären.» Als vulgär gilt inzwischen alles, was nach Geld riecht, und die Einzigen, die davon nichts bemerkt zu haben scheinen, sind jene, die gerade erst zu Geld gekommen sind. Niemand wird ernsthaft behaupten, dass ein Oliver Kahn mit seiner Louis-Vuitton-Herrenhandtasche, seinen Designerklamotten und seinen Urlaubsaufenthalten im Fünf-Sterne-Hotel «The Palace at the One & Only Mirage» in Dubai ein Stilvorbild ist. Wenn man sehen will, was heute als vulgär gilt, kann man sich auch an dem englischen Fußballstar Wayne Rooney und seiner Verlobten Colleen McLoughlin orientieren: Zur Verlobung schenkte Rooney ihr einen 40 000 Euro teuren Diamantring, sie trägt eine Rolex-Uhr, die knapp 30 000 Euro kostet, und am liebsten Kleidung von Missoni. Da in Manchester nicht so oft die Sonne scheint, sie aber dennoch einen südlichen Teint bevorzugt, verwendet sie das teuerste auf dem Markt befindliche Selbstbräunungs-Spray der Marke St. Tropez für 120 Euro das Fläschchen. Wenn Wayne und Colleen auf ihren Einkaufstouren in Manchester unterwegs sind, fahren sie abwechselnd einen Cadillac Escalade mit Vierradantrieb und einen Chrysler 300C V8. Das Fehlen des Vulgären, den eigentlichen Luxus also, findet man heute eher in den niederen Steuerklassen oder bei jenen, die schon länger Geld besitzen und mittlerweile über genügend Geschmack verfügen, um ostentativen Reichtum zu scheuen.

Die Dinge, die wirklich Genuss verschaffen, sind ohnehin nicht für Geld zu haben. Ein echtes Luxusobjekt kann keine Versicherung der Welt ersetzen, wenn es verloren geht: Ein handgeschriebener Brief. Ein einzigartiges Exlibris. Blumen, die nicht aus irgendeinem Laden stammen, sondern aus dem Garten einer alten Dame, die einem manchmal erlaubt, sich dort einen Strauß zu pflücken. Ein

Parfüm, das man nicht in einer Parfümerie kauft, sondern individuell mischen lässt. Ein Objekt, das ein Handwerker nach eigenem Entwurf angefertigt hat. Allein im Stadtpark spazieren zu gehen, wenn es schneit. An einem heißen Sommertag in einem See schwimmen. Ein Wein, den einem sein Vater an seinem 50. Geburtstag eingemauert hat. Luxus heißt, wie mein Freund Carl Laszlo in seinem «Aufruf zum Luxus» 1960 schrieb, «zu haben, was man haben will, und auf alles zu verzichten, was man haben soll». Ein Serienerzeugnis, eine Nacht in einer Hotelsuite, ein teures Auto, alles, was käuflich ist und beworben wird, kann also schon per Definition kein Luxus sein.

Die armen Reichen, die immer noch nicht begriffen haben, dass ein Leben im Überfluss nicht nur anstrengend und langweilig, sondern auch hoffnungslos démodé ist, verdienen also nicht zuletzt deshalb unser Mitleid. Als Verarmender hingegen gehört man einer Avantgarde an – schließlich werden wir alle, wirklich alle, bald deutlich ärmer sein als jetzt. Je eher man lernt, damit stilvoll und gelassen umzugehen, desto sorgenfreier wird man. Reich wird nur bleiben können, wer Bedürfnisse pflegt, die nicht käuflich sind. Die schönsten Dinge des Lebens muss man glücklicherweise nicht entbehren, wenn der Kontostand sinkt.

Das, was das Leben lebenswert macht, wird nicht weniger, bloß, weil man weniger Geld hat. Innere Unabhängigkeit zum Beispiel war noch nie eine Frage des Einkommens. Oder Belesenheit. Oder Höflichkeit. Ein Onkel von mir, dessen Eltern ihr Vermögen nach dem Krieg verloren hatten, schlug eine Karriere im Hotelfach ein. Er fing als Kellner an, irgendwann wurde er Hoteldirektor. Das einzig Konstante in seinem Leben war eine für mich manchmal verblüffende Höflichkeit. Einmal gab er in seiner Wohnung ein Abendessen, bei dem er Spargel servierte. Einer der Gäste kam aus Australien und war mit den Sitten und Gebräuchen Europas nicht vertraut. Neben den Tellern standen kleine Schalen mit Wasser und jeweils einer Zitronenscheibe. Sie waren dazu bestimmt, sich nach dem Spargelgenuss die Finger säubern zu können. Sein Gast wusste das nicht und trank aus dieser Schale, was bei den anderen Gästen für verständnisloses Kopfschütteln sorgte. Mein Onkel reagierte prompt und führte sein Wasserschälchen ebenfalls zum Mund, um dem Mann nicht das Gefühl zu geben, dass er einen Fauxpas begangen hatte.

Höflichkeit, Liebenswürdigkeit, Freundlichkeit, Hilfsbereitschaft, alles Dinge, die das Leben angenehm machen, lassen sich geradezu ins Unendliche steigern und sind vollkommen unabhängig von materiellen Gegebenheiten. Erfreulicherweise trifft das übrigens auf sämtliche Tugenden zu. Im Gegensatz zu Moralgesetzen, die immer endlich sind, weil ihnen ein «Tu dies nicht» und «Tu das nicht» zugrunde liegt und sie erfüllt sind, wenn man dieses unterlässt oder jenes vermeidet, haben Tugenden den unschlagbaren Vorteil, unendlich zu sein. Man kann nie zu viel lieben, glauben, hoffen. Auch hat man noch nie gehört, dass jemand zu klug, zu tapfer, zu gerecht oder zu maßvoll gewesen sei. In Zeiten des Mangels sind Tugenden also etwas, mit dem man, ohne sich Vorwürfe machen zu müssen, verschwenderisch umgehen sollte.

Vielleicht werden manche Tugenden, die im Zeitalter des Überflusses ein wenig aus der Mode gekommen sind, nun, im Zeitalter des Mangels, wieder eine Renaissance erleben. Das Erschöpfen der Ressourcen, der Rückgang des Wohlstands muss nicht notwendigerweise im Verteilungskampf enden, er kann sogar eine völlig unerwartete Folge haben: unsere Wiedergeburt als soziale Wesen. Die Zeiten, in denen wir jede Verantwortung für unsere Mitmenschen an abstrakte Institutionen delegieren konnten, sind vorbei. Und das ist, so unangenehm die Wirtschaftskrise auch sein mag, ihre erfreuliche Seite.

Wenn die Menschen auf gegenseitige Hilfe angewiesen sind, entwickeln sie längst vergessene menschliche Fähigkeiten. Jede echte Krise zeigt das immer wieder. Die Krise, in die wir hineingerutscht sind, könnte sich als das Beste herausstellen, was uns geschehen konnte.

Glossar

A

Aldi

Einkaufsparadies für trendbewusste Rechtsanwaltsgattinnen, die sich hier unters Volk mischen und dadurch signalisieren wollen, dass sie nicht abgehoben sind.

Almurlaub

Genau das Richtige für gestresste Workaholics. Der neueste Trend: Statt krampfhaft Entspannung zu suchen, heuert man für ein, zwei Wochen zur knochenharten körperlichen Arbeit auf der Alm an. Almhütten und Vermittlung als ländliche Arbeitskraft zum Beispiel über www.zalp.ch, www.sab.ch, www.almferien.org.

ATTAC

Zusammenschluss zum Teil sympathischer Söhne und Töchter Besserverdienender, die gegen das recht unübersichtliche Phänomen «Globalisierung» aufbegehren. Kämpft für eine Veränderung des Konsumverhaltens und gegen international agierende Großkonzerne. Den Soundtrack dazu liefern «Notwist», «Slut», «Underworld».

B

Bahnfahren

Für den modernen Menschen oft die einzige Möglichkeit, mehrere Stunden am Stück still zu sitzen.

227

Butler

Da gute B. die Eigenart haben, ihre Dienstherren zu beherrschen, ist es ein Luxus, *keinen* B. zu haben. Der letzte Herzog von Marlborough war so abhängig von seinem B., dass er sich, als er einmal ohne ihn verreiste, darüber wunderte, dass seine Zahnbürste nicht von alleine schäumte. Am besten erzieht man sich selbst zu seinem eigenen B. Bringt sich selbst das Essen ans Bett, schickt sich selbst zum Einkaufen. Spart Kosten und Ärger.

C

Cartier

Ehemals ein angesehenes Juweliergeschäft in Paris, inzwischen Massenproduzent geschmackloser und überteuerter Produkte für russische Oligarchen und Ehefrauen von Fußballprofis beim VfL Bochum.

Champagner

Schaumweingetränk aus Frankreich, für das Trauben minderer Qualität verwendet werden. Daher kann man C. auch nur dann trinken, wenn er fast bis zum Gefrierpunkt gekühlt serviert wird. Das, was C. attraktiv macht, ist also nicht der Geschmack (außer man hat gerade einen Krug aus dem Jahre 1978 zur Hand, ein Ausnahmechampagner), sondern das Ritual – das langsame Öffnen mit dem unvermeidlichen Knall, der meist mit einem großen Hallo einhergeht. Das eigentliche Luxusgetränk des nun anbrechenden Zeitalters ist aber → Mineralwasser.

D

Dienstleistungswüste

Einem Klischee zufolge ist Deutschland eine D. – dabei haben wir allen Grund, stolz darauf zu sein, in einem Land zu leben, in dem Servilität nicht mit Geld zu kaufen ist. Nur in Ländern, in denen das allgemeine Wohlstandsniveau äußerst niedrig ist, erntet man für Trinkgeld untertäniges Verhalten. Es ist Ausweis zivilisatorischen Fortschritts, wenn Dienstleister keinen Kotau vor uns machen, nur weil wir Geld bei ihnen ausgeben.

DVDs
Werden, dank «Video on Demand», ähnlich wie Langspielplatten
aus Vinyl und VHS-Kassetten vom technischen Fortschritt bald
überholt sein. Größere DVD-Sammlungen sind also ein sicheres
Geldgrab. Andererseits erlauben einem eigene DVDs eine gewisse
Unabhängigkeit vom täglich unattraktiver werdenden Fernsehpro-
gramm. Ein Dilemma.

E

Ehrenamt
Eine der sichersten Methoden, unglücklich zu werden, besteht darin, sich in einem fort um sein eigenes Wohlbefinden zu sorgen. Ein
absoluter Lifestyle-Geheimtipp ist es hingegen, gelegentlich von
sich selbst abzusehen und sich um andere zu kümmern. Der Mal-
teser-Hilfsdienst sucht zum Beispiel nach Menschen, die sich für
Bedürftige engagieren, etwa im Besuchsdienst für Einsame und
Kranke (www.malteser.de). Ehrenamtliche Stellen vermittelt auch
www.gute-tat.de

F

Fasten
Überaus effektive Möglichkeit zur Steigerung der Lebensqualität:
Einmal im Jahr mindestens eine Woche lang (maximal drei) nur
Gemüsebrühe und literweise Brennnesseltee zu sich nehmen. Man
spart Geld, regeneriert seinen Stoffwechsel und erlangt, mit ein
bisschen Glück, ungeahnte geistige Klarheit. (Es gab eine Zeit, da
fasteten weise Menschen vor wichtigen Entscheidungen.) Da man
auf jegliche Giftstoffe verzichten muss (Kaffee, Schwarztee, Niko-
tin, Alkohol), wird das Budget des Fastenden schlagartig entlastet.

Fitnessclub
Der beste F. ist der Park vor der eigenen Haustür. Es gibt keine Auf-
nahmegebühren, man muss sich nicht in übelriechenden Umklei-
dekammern neben Tankstellenbesitzern umziehen, die sich von
Anabolika ernähren, dafür steht im Park frische Luft kostenfrei zur
Verfügung. Die meisten F.-Mitgliedschaften werden ohnehin nicht

genutzt. Jedes Jahr werden in Deutschland auf diese Weise etwa 300 Millionen Euro verschwendet. Entspricht etwa dem Bruttosozialprodukt der Mongolei.

Flohmarkt

Was für Neureiche Luxuskaufhäuser wie das Quartier 206 in Berlin oder Bergdorf Goodman in New York sind, ist für Verarmende mit Geschmack der F. Rastro in Madrid. Er findet jede Woche am Sonntagvormittag statt und ist ein wenig versteckt. Wegbeschreibung: Man geht von der Puerta del Sol durch die Calle de Carteras Richtung Plaza de Cascorro, überquert die Plaza de Benavente, nimmt die Calle Conde de Romanones und die Calle Duque de Alba und kommt so auf die Plaza de Cascorro, an deren Südseite sich die Plaza del Rastro befindet. Alles klar?

G

Garderobe

Wie schafft man es, möglichst wenig Gedanken auf seine G. zu verwenden, aber dabei nicht so auszusehen wie jemand, der sich *Mühe* gibt, so auszusehen, als habe er keinen Gedanken auf seine G. verwendet? Steve Jobs, der Chef von Apple Computers, machte es so: Er kaufte auf einen Schlag einen riesigen Stapel schwarzer Sweatshirts und ein Dutzend identische Bluejeans und zieht sich jeden Tag gleich an.

Grenznutzen, abnehmender

Ökonomisches Phänomen, demzufolge ab einem bestimmten Wohlstandslevel jeder zusätzliche Besitz die Lebensqualität nicht mehr zu steigern vermag. Eine Fallstudie: Peter H. ist auf der Karriereleiter emporgeschossen, verdient nun sehr viel mehr, als er ausgeben kann (zumal er gar keine Zeit zum Ausgeben mehr hat). Ob einen teuren Anzug, einen Kurztrip nach New York oder sonst was, er kann es sich ohne Probleme leisten. Aber: Es macht ihm, wie er verdutzt einräumt, heute viel weniger Spaß, seine Wünsche zu erfüllen, als früher, als er auf deren Erfüllung noch hinsparen musste.

H

Hotel

Neben den homogenisierten und entseelten so genannten Luxus-H.s gibt es in fast allen größeren Städten kleine charmante Häuser, in denen man nicht nur günstiger, sondern auch luxuriöser wohnt als in den großen H.s. Auf den Verrat solcher H.-Namen steht allerdings der Galgen. Die Pension «Pertschy» in Wien, für Anspruchsvollere das H. «König von Ungarn», bei dem man nur nicht den Fehler machen darf, sich das so genannte Appartement andrehen zu lassen. Das «Algonquin» in New York, das «Bedford» in Paris. Und natürlich: «The Gore» in London.

I

iTunes Music Store

Ein riesiger virtueller Plattenladen. Sehr effiziente Möglichkeit für Apple-Nutzer, Geld auszugeben: Man sitzt am Schreibtisch, klickt, wenn einem langweilig ist, auf den iTunes-Shop und überspielt ein Lied auf den Computer. Pro Stück 99 Cent. So kann man sich – und die Plattenläden der Stadt – schnell und auf unterhaltsame Art ruinieren.

J

Jasmintee

Ideales Getränk für gesundheitsbewusst Verarmende, da in jedem Asia-Laden preiswert erhältlich und sehr schmackhaft, zudem ist J. gesünder als jeder andere Tee wegen des extrem hohen Gehalts an Flavonoiden.

Juwelen

Laut Salvador Dalí können sie nur von Damen getragen werden, die dazu fähig sind, sie mit der größten Geringschätzung zu behandeln.

K

Kaufhäuser
Erträgliche K. existieren nur auf dem Papier, zum Beispiel das von
Émile Zola beschriebene «Paradies der Damen». Wer das 1883
erschienene gleichnamige Buch gelesen hat, wird von da an für alle
real existierenden K. nur noch Verachtung übrig haben.

Kaviar
«Confiture de poisson» – Fischmarmelade – schimpfte König
Ludwig XV. die Störeier und spuckte sie verärgert aus.

Kokain
Sehr teures Aufputschmittel, dessen Qualität in Europa seit
zwanzig Jahren stetig sinkt, da es, um die Gewinnspannen der
Großdealer zu steigern, immer mehr mit billigen Amphetaminen
verschnitten wird. Wer heute noch K. konsumiert, ist hoffnungslos
in den achtziger Jahren des letzten Jahrhunderts stecken geblieben.

L

LVMH
Französischer Konzern, der Massenware produziert (dazu gehören
Louis Vuitton und Moët & Chandon), dabei aber verzweifelt ver-
sucht, den Kunden Exklusivität zu verheißen, die durch perfekte
Kopien aus China und Vietnam längst unterlaufen wurde.

M

Manufactum
Heile-Welt-Kaufhaus, in dem es Dinge aus der «guten alten Zeit»
gibt, die kein Mensch braucht (wie handbetriebene, mit einem
Schwungrad versehene Kaffeemühlen), dafür jedoch sehr teuer
sind und einem das Gefühl vermitteln, gegen die Plunderwelt um
einen herum Widerstand geleistet zu haben.

Marbella
Unter all den ehemaligen Spielplätzen der High Society war M. der
erste, der den Weg der Vulgarisierung konsequent gegangen ist.
Dort weint man heute sogar den reichen Arabern nach, über die

man in den achtziger Jahren noch die Nasen gerümpft hat. Inzwischen stehen auch Orte wie St. Moritz und St. Tropez M. in nichts nach. Die Einzigen, die an diesen und ähnlichen Orten noch über Eleganz verfügen, sind die Kellner und Bediensteten.

Mineralwasser

Die neue Lifestyle-Elite, die «Lohas» (abgeleitet von: «Lifestyle of Health and Sustainability») zelebrieren ihren M.-Genuss ähnlich aufwendig, wie ihre Vorvorgänger, die Yuppies, das mit Champagner taten. M.-Snobs bevorzugen die japanische Marke «Rokko No» (im Adlon in Berlin kostet die Flasche stolze 62 Euro). Die Champagne des M.s ist Schottland, wo von Connaisseurs geschätzte Marken wie «Lovat», «Highland Springs», «Deeside Natural Mineral Water» (wird auf Schloss Balmoral getrunken) und «Fionnar» ihre Quellen haben. Martin Strick, der Autor des ersten deutschen M.-Führers, antwortet auf die Frage nach dem besten M. weltweit aber mit einem entschiedenen «Staatlich Fachingen»: «Es ist der Mercedes unter den Mineralwässern.» Mit 2,97 Gramm Mineralienanteil pro Liter hat es auch eine wirklich messbare gesundheitsfördernde Wirkung.

N

Nassauer

In München gab es in den achtziger Jahren einen angeblichen Großfürsten, der bei jeder Vortragsveranstaltung Münchner Auslandskulturinstitute gesichtet wurde und immer der Erste am Häppchenbuffet war. Jeder kannte ihn, belächelte ihn, ließ ihn gewähren. So lebte er reihum von Italienern, Spaniern, Franzosen. Die Kunst des Kultur- und Gesellschaftsschmarotzens muss wiederbelebt werden, wenn es uns in Deutschland ernst damit ist, mit Dekorum unter die Räder zu kommen.

O

Osama Bin Laden

Selbst in arabischen Ländern hat ein Umdenken in Richtung Askese stattgefunden. Bis vor kurzem verlangte das Prestige ein Mindestmaß an Körperfülle. König Faruk musste, als er den ägyptischen Thron bestieg, noch monatelang vor seinem Volk versteckt werden, da er zu dünn war und erst gemästet werden musste, bevor man ihn der Öffentlichkeit zeigen konnte. Niemand hätte sonst Respekt vor ihm gehabt. Heute gilt in der arabischen Welt, so beunruhigend das auch sein mag, der asketische O. als Stilvorbild. Sein Mythos beruht nicht zuletzt darauf, dass er angeblich völlig anspruchslos lebt.

P

Pfandhaus

Neben dem → Second-Hand-Laden ist das P. traditionell eine der wichtigsten Institutionen überhaupt für Verarmende. Der Nachteil der allermeisten Pfandhäuser besteht allerdings darin, dass sie dazu neigen, die finanzielle Not ihrer Kundschaft auszunutzen. Das einzige P., das sowohl unter Käufern als auch unter Verkäufern einen exzellenten Ruf genießt, ist das Dorotheum in Wien, zugleich Europas größtes Auktionshaus. Im Dorotheum gibt es alles, von der Rolex-Uhr des in Not geratenen Zuhälters bis zum ausgestopften Känguru des finanziell gebeutelten Globetrotters. Wer hier etwas hinbringt, wird höflich behandelt und bekommt für seine Ware stets faire Preise. Die Auktionen finden montags bis freitags ab 14 Uhr und am Samstag ab 10 Uhr statt.

Philharmonie

In Berlin ist die P. der bei weitem beste Ort, an dem man als Verarmender mit Geschmack einen Abend verbringen kann. Die Preise für Konzertkarten sind meist moderat, Kenner nutzen die Pausen, um sich durch den Künstlereingang backstage zu schleichen und sich an der dortigen, überaus preiswerten Cafeteria schadlos zu halten.

Potlach

Alte Sitte mancher Indianerstämme Nordamerikas, bei der man seinen sozialen Status dadurch unter Beweis stellt, dass man möglichst viel seines Besitzes wegschenkt. Der Vornehmste ist der, der am meisten weggibt.

Privatinsolvenz

Der Regierung Schröder ist es zu verdanken, dass es nicht mehr nur Firmen möglich ist, Pleite zu gehen. Dank der Einführung des Verbraucherinsolvenzverfahrens können dies heute auch Privatpersonen. Früher musste man in den Schuldenturm, bis vor ein paar Jahren gab es noch den Offenbarungseid, nach dem man für den Rest seines Lebens von den Gläubigern gejagt wurde und bis ans Ende seiner Tage nie mehr Einnahmen behalten durfte, als dem Sozialhilfesatz entsprach. Heute werden einem, wenn man einen seriösen Sanierungsplan vorlegt, nach sieben Jahren die Restschulden erlassen, und man kann einen Neustart wagen.

Q

Queen

Wenige wissen, dass Königin Elisabeth II. eine große Anhängerin des Nouveaux-Pauvres-Chics ist. Unter Englands Spießern sorgte es für ziemliches Kopfschütteln, als durch die Indiskretion eines → Butlers bekannt wurde, dass die Königin Cornflakes aus dem Supermarkt isst und ihre Frühstückscerealien nicht etwa in einer Silberschale auf dem Tisch stehen – sondern in einer Tupperware-Dose. Long live our glorious Queen!

R

Rolls-Royce

Als in den achtziger Jahren des 20. Jahrhunderts die SMH-Bank des Grafen Galen auf spektakuläre Weise Pleite ging, war die Commerzbank eine der wenigen deutschen Banken, die von diesem Zusammenbruch unbeschadet blieb. Paul Lichtenberg, langjähriges Vorstandsmitglied der Commerzbank, erklärte dies ganz einfach so: «Ich leihe niemandem Geld, der mit einem Rolls-Royce durch die Stadt fährt.»

Reverend Billy

Heißt in Wirklichkeit Bill Talen und ist einer der durchgeknalltesten und amüsantesten Anti-Konsum-Aktivisten Amerikas. Bei seinen Aktionen tritt er als apokalyptischer Straßenprediger auf, immer im weißen Anzug und mit hellblond gefärbten Haaren, in der Hand ein Megaphon aus Pappe, durch das er Dinge brüllt wie «Stop Shopping! Start Stopping! Halleluja!» In New York hat er, nachdem er als Schauspieler gescheitert und als Kellner frustriert war, die «Church of Stop Shopping» gegründet, die mittlerweile über eine weltweite Anhängergemeinde verfügt.

S

Schuldnerberatung
Die Konsumgesellschaft hat viele von uns in die Schuldenfalle getrieben, aus der es allerdings Auswege gibt. Kein Gesetz zwingt einen zum Beispiel, in Zeiten finanzieller Not Versicherungs- oder Tilgungsverträge weiter zu zahlen, man kann die Beiträge reduzieren oder sie gar ruhen lassen. Eine exzellente Einrichtung, um sich Rat zu holen, sind Schuldnerberatungsstellen. Unter der Telefonnummer 01888 – 80 80 800 kann man erfragen, wo sich die nächstgelegene S. befindet. (→ Privatinsolvenz)

Second-Hand-Laden
Damen mit Geschmack, aber ohne Goldesel kaufen Designermode grundsätzlich nur im S. Einer der bestsortierten Deutschlands ist die «Second-Hand-Agentur» in Münchens Siegesstraße 20. Die gesamte Münchner Snobiety, zumindest jene mit Stil, bezieht von hier ihre Kleidung – und bringt, ohne falsche Scham, ausrangierte Stücke hin. Wer seine → Garderobe in den teuren Läden auf der Maximilianstraße ergänzt, für den hat man in Münchens besseren Kreisen nur ein verächtliches Lächeln übrig. Die gehobene Gesellschaft in Zürich kauft und verkauft bei «Jasmin» (Seefeldstraße 47).

«Sozial schwach»
Einer der schlimmsten Begriffe ist «sozial schwach». Damit verunglimpft man Arme und unterstellt, ihnen fehle zwischenmenschlicher Kontakt, oder ihre soziale Kompetenz sei unterentwickelt. Dabei findet man in den Bankierssiedlungen im Taunus oder hinter den Grundstücksmauern hässlicher Villen in Grünwald bei München sehr viele einsame Bankiersgattinnen, auf welche die Bezeichnung «sozial schwach» besser passen würde. Meist wäre sogar die

Bezeichnung «sozial isoliert» oder «sozial schwerstbehindert» treffender.

T

Toilettenartikel

T. stockt man am besten auf, wenn man in die Verlegenheit kommt, in einem → Hotel übernachten zu müssen. Dies ist die einzig akzeptable Form des Hoteldiebstahls. Als besonders gefürchtete Hoteldiebe gelten übrigens Holländer und Briten. Sie stehen bei den Hoteliers im Ruf, alles mitgehen zu lassen, was nicht festgeschraubt ist. Das Mitnehmen von T. wird hingegen meist großzügig toleriert, solange es im Rahmen bleibt. Werden vormittags die Zimmer aufgeräumt, kann man schon mal, wenn man unbeobachtet ist, in den Sack mit den Seifen und Shampoos greifen, der sich in dem Wägelchen befindet, das die Zimmermädchen als Mutterschiff vor sich herschieben.

Touristen

… sind immer die anderen. Komisch.

U

U-Bahn

Der absurden Blasiertheit gegenüber öffentlichen Verkehrsmitteln hat schon Frank Sinatra entgegengehalten: «Was in der U-Bahn Überfüllung genannt wird, nennt man im Nachtclub angenehme Intimität.»

V

Vitamintabletten

Immer mehr Bewohner der westlichen Hemisphäre versuchen, ihre vitaminarme und fettreiche Ernährung durch V. zu kompensieren. Am meisten V. schlucken, mit Abstand, die Bewohner Nordamerikas. Da die Leber die Eigenart besitzt, viele überschüssige Vitamine schnell auszusortieren und über die Harnautobahn zu entsorgen, ist der weltweit teuerste Urin der amerikanische.

W

Weißer Tee

Eine Alternative zu Kaffee und Schwarztee ist ein chinesisches Geheimrezept: weißer Tee. Er ist denkbar einfach zuzubereiten, denn er besteht aus: heißem Wasser. Sonst nichts. Schmeckt wirklich köstlich – und gilt in der ayurvedischen Medizin als Heilgetränk. Großer Vorteil: Auch wenn er lauwarm oder kalt wird, schmeckt er immer noch ausgezeichnet. Er wird nie zu stark oder zu schwach, und man muss nicht mit lästigen Teebeuteln hantieren.

Wohlfahrtsstaat

Um der Mentalität in unserem W. auf den Grund zu gehen, hat ein Professor der Universität Tübingen ein Experiment veranstaltet. Er lud seine Studenten in ein Restaurant ein. «Für Wein, Bier und Wasser komme ich auf. Den Rest zahlt jeder selbst.» Die Studenten wählten von der Menükarte also die preiswertesten Gerichte. Ein paar Wochen später wiederholte er das Ganze. Nur, dass der Professor diesmal sagte: «Das Essen legen wir auf alle um.» Die Folge war, dass die Karte von oben bis unten durchgegessen wurde. Für alle Beteiligten war dies die einzige logische Reaktion, denn warum sollte man sich zurückhalten, wenn die Last ohnehin auf alle verteilt wird? Solange das so ist, funktioniert der W. nicht.

Wohngemeinschaft

Die W. ist die altmodischste und zugleich modernste Form des Zusammenlebens, die, wenn sie sich durchsetzen würde, einen Haufen unserer sozialen und wirtschaftlichen Probleme lösen könnte. Single-Haushalte sind sowohl aus ökonomischer als auch aus sozialer Sicht völlig irrsinnig.

X

Xenophobie

Die Fremdenangst hat durch die wirtschaftliche Krise ein besonders hässliches, aber gesellschaftlich scheinbar akzeptables Gesicht bekommen: die Angst vor Arbeitern in benachbarten «Billiglohnländern». Wenn es uns aber ernst ist mit unseren hehren sozialen Grundsätzen, müssen wir lernen zu teilen und uns von der Illusion verabschieden, dass alles, was jenseits unserer Grenzen geschieht, uns nichts angeht und zum Beispiel eine tschechische Familie weniger Anrecht auf Arbeit und Auskommen hat als eine nieder-bayerische.

Y

Yachting

Das größte Problem der Yachteigentümer sind nicht die hohen Betriebskosten oder der unter Seekrankheit leidende Koch, sondern – die Gäste. Je reicher man ist, desto größer das Dilemma. Denn desto größer ist auch die Yacht, die es zu füllen gilt. Die A-Gäste kommen nicht in Frage, denn sie verfügen ihrerseits über Schiffe oder Feriendomizile und haben selber Mühe, diese mit Leben zu füllen. Die der B-Kategorie (Schauspieler, Topmodels) sind meist ausgebucht, bleibt die C-Kategorie der hauptberuflichen Gäste, bei denen man übrigens, obwohl sie viel reisen, keine Bildung voraus-setzen darf. Frage an eine Dame, die von einem Yachtaufenthalt zu-rückgekehrt ist, der sie vom Mittelmeer ins Schwarze Meer geführt hat: «Haben Sie die Dardanellen gesehen?» Antwort: «Ja, natürlich waren wir bei denen eingeladen. Wirklich ganz reizende Leute!»

Z

Zahlen

Ein ungarisches Sprichwort lautet: «Ein Gentleman zahlt nicht, wundert sich nicht und eilt nicht.»

Zeitung

Der Protagonist von Michel Houellebecqs Roman «Plattform» liest ausschließlich den Wirtschaftsteil der Zeitung, weil er fest davon überzeugt ist, das Verständnis für das Weltgeschehen am besten an-hand der Wirtschaftsnachrichten destillieren zu können. Die für stilvoll Verarmende geeignetste Zeitung wäre demnach die in Brüssel herausgegebene europäische Ausgabe des «Wall Street Journal». Aus ihr erfährt man mehr Absurditäten aus der Welt der Wirtschaft und der Großfinanz, und somit über unser Leben, als aus «taz» und «Spiegel» zusammen.